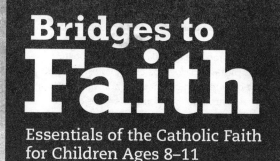

Bridges to Faith

Essentials of the Catholic Faith
for Children Ages 8–11

Puentes a la fe

Fundamentos de la fe católica para niños de 8–11 años

LIBRO DEL NIÑO
CHILDREN'S BOOK

LOYOLAPRESS.
UN MINISTERIO JESUITA
A JESUIT MINISTRY

JOE PAPROCKI, D.Min.

IMPRIMATUR

Puentes a la fe es una expresión de la obra de Loyola Press, un ministerio de la provincia Chicago-Detroit de la Compañía de Jesús.

Bridges to Faith is an expression of the work of Loyola Press, a ministry of the Chicago-Detroit Province of the Society of Jesus.

Citas bíblicas tomadas de La Biblia de nuestro pueblo © 2007 Pastoral Bible Foundation y © Ediciones Mensajero. Con los debidos permisos. Reservados todos los derechos.

Excerpts from the New American Bible, revised edition, copyright © 2010, 1991, 1986, 1970 Confraternity of Christian Doctrine, Inc., Washington, DC. Used with permission. All rights reserved. No part of the New American Bible may be reprinted without permission in writing from the copyright holder.

Citas tomadas del Catecismo de la Iglesia Católica © 1992 Librería Edictrice Vaticana

Excerpts from the English translation of the Catechism of the Catholic Church for the United States of America copyright © 1994 United States Catholic Conference, Inc.—Libreria Editrice Vaticana.

ISBN-13: 978-0-8294-3749-2
ISBN-10: 0-8294-3749-5

LOYOLA PRESS.
UN MINISTERIO JESUITA
A JESUIT MINISTRY

3441 N. Ashland Avenue
Chicago, Illinois 60657
(800) 621-1008

www.loyolapress.com
www.bridges-to-faith.com
www.puentes-a-la-fe.com

Impreso en/Printed in United States
14 15 16 RRD 6 5 4 3

Copyright © 2014 Loyola Press, Chicago, IL.

Autor/Author: Joe Paprocki, D. Min.
Diseño de portada/Cover design: Loyola Press
Ilustración de portada/Cover Illustration: Penelope Dullaghan
Diseño interior/Interior design: Loyola Press
Consultor/Adviser: Santiago Cortés-Sjöberg, M.Div.
Traducción al español de/Spanish translation by: Luis Baudry-Simón

Todos los derechos reservados. No está permitida la reproducción total o parcial de este libro, ni su tratamiento informático, ni su transmisión de ninguna forma, ya sea electrónica, mecánica, por fotocopia u otros métodos, ni cualquier comunicación pública por sistemas alámbricos o inalámbricos sin el premiso previo y por escrito del editor.

All rights reserved. No part of this book may be reproduced, stored in a retrieval system, or transmitted in any form or by any means, electronic, mechanical, photocopying, recording, or otherwise, without the prior permission of the publisher.

Ilustraciones/Art Acknowledgements

1 © Pavel Bolotov/Getty Images/Thinkstock. **6** (a,b) © Penelope Dullaghan. **9**(a,b) © iStockphoto.com/rhoon. **11**(a,b) © BejhanJusufi/Thinkstock. **15**(a,b) © iStockphoto/Thinkstock. **21**(a) © iStockphoto.com/LokFung. **21**(b) © iStockphoto.com/dra_schwartz. **27**(a,b) © iStockphoto.com/jammydesign. **33**(a) © iStockphoto.com/Link-creative. **33**(b) © iStockphoto.com/Link-creative. **39**(a,b) © iStockphoto.com/albertc111. **49**(a,b) © iStockphoto.com/Leontura. **53**(a,b) © Vitali Konstantinov. **54**(a) © Philomena ONeill. **54**(b) © Yoshi Miyake. **57**(a,b) © iStockphoto.com/jammydesign. **63**(a,b) © iStockphoto.com/jammydesign. **71**(a) © Philomena ONeill. **71**(b) © Philomena ONeill. **71**(c) © Yoshi Miyake. **73**(a,b) © iStockphoto.com/A-Digit. **79**(a,b) © iStockphoto.com/MarinaMM. **81**(a,b) © Bocman1973/Shutterstock.com. **85**(a,b) © iStockphoto/Thinkstock. **91**(a,b) © iStockphoto.com/A-Digit. **97**(a,b) © iStockphoto.com/enderstse. **101**(a) © iStockphoto/Thinkstock. **101**(b) © iStockphoto.com/Link-creative. **107**(a,b) © iStockphoto.com/bubaone. **111**(a,b) © iStockphoto.com/Kathry Kirsch. **111**(c,d) © iStockphoto/Thinkstock. **113**(a) © iStockphoto/LokFung. **113**(b) © iStockphoto.com/bpowelldesign. **115**(a,b) © iStockphoto.com/A-Digit. **123**(a,b) © iStockphoto/Thinkstock. **131**(a,b) © iStockphoto.com/osadzena. **135**(a,b) © Greg Kuepfer. **136**(a) © Yoshi Miyake. **136**(b) © Yoshi Miyake. **136**(c) © Yoshi Miyake. **136**(d) © Yoshi Miyake. **141**(a,b) © iStockphoto.com/bubaone.

"Yo vine para que tengan vida, y la tengan en abundancia".

Juan 10:10

"I have come so that you may have life, and have it abundantly."

John 10:10

Índice

Contents

Part 4—Prayer: Praying Faith

Introducción

Cuando las familias se van de vacaciones en coche, una de las cosas divertidas que pueden suceder es que conduzcan por un puente largo sobre un río. Es divertido mirar hacia abajo y ver el agua, luego mirar hacia atrás para ver la tierra que acabamos de dejar y mirar hacia adelante para ver la tierra en la que estamos a punto de entrar. Los puentes nos conectan con el pasado —donde hemos estado— y con el futuro —hacia donde nos dirigimos—. Este libro, *Puentes a la fe*, será lo mismo para ti. Va a conectarte con tu pasado y con un futuro que te acercará más a Jesucristo.

Sin puentes podríamos quedarnos estancados en un solo lugar. Sin puentes, podríamos hallarnos en peligro a causa de las aguas turbulentas que corren debajo de nosotros. A medida que creces, también es importante contar con puentes en tu vida —maneras de avanzar y no estancarte en un solo lugar, así como de protegerte contra las aguas turbulentas de los desafíos de la vida—. La fe católica puede ser ese puente para ti. Las enseñanzas y prácticas de la Iglesia católica te ayudarán a avanzar en la vida, acercándote cada vez más a Jesús y protegiéndote de los peligros del pecado.

Cruzar un puente a veces puede dar miedo. No tengas miedo. El puente que vas a cruzar está construido con materiales muy fuertes: el Credo (lo que creemos), los sacramentos (cómo damos culto), la vida moral (la forma en que nos mostramos amor unos a otros) y la oración (cómo hablamos con Dios y lo escuchamos). Este puente está sostenido por el amor de Dios y unido por la fe de un sinnúmero de personas, padres, familiares, padrinos, profesores, sacerdotes, monjas y santos, cuya fe actúa como tornillos de acero soldados entre sí para reforzar la fuerza del puente.

Jesús te llama a cruzar el puente de la fe y acercarte a él para que así puedan caminar juntos todos los días de tu vida y por toda la eternidad.

Joe Paprocki

Joe Paprocki, D.Min.

Cosultor nacional para formación en la fe, Loyola Press

Introduction

When families go on a driving vacation, one of the fun things that can happen is driving on a long bridge over a river. It's fun to look down to see the water below, to look back to see the land you left behind, and to look ahead to see the land you are about to enter. Bridges connect the past—where we've been—to the future—where we are heading. This book, *Bridges to Faith*, is going to do the same thing for you. It's going to connect you with your past and with a future that brings you closer to Jesus Christ.

Without a bridge, we can get stuck in one place. Without a bridge, we can find ourselves in danger from the rough waters beneath us. As you grow older, it is important to have bridges in your life—ways to help you move forward and not get stuck in one place, as well as safeguards from the rough waters that you may face. The Catholic faith can be that bridge for you. The teachings and practices of the Catholic Church will help you move forward in life, growing closer to Jesus while keeping you safe from the dangers of sin.

Crossing a bridge can sometimes be a little scary. Don't be afraid. The bridge you are about to cross is made of very strong materials: the Creed (what we believe), the sacraments (how we worship), moral life (how we show love to one another) and prayer (how we talk and listen to God). This bridge is held up by the love of God and held together by the faith of many people—parents, family members, godparents, teachers, priests, nuns, and saints—whose faith acts like steel bolts welded together to reinforce the bridge's strength.

Jesus is calling to you to cross the bridge of faith and to come closer to him so that you may walk together every day of your life and for all eternity.

Joe Paprocki

Joe Paprocki, D.Min.

National Consultant for Faith Formation, Loyola Press

PARTE 1

El Credo: Profesar la fe

PART 1

The Creed: Holding On to Faith

Jesús se acercó y les habló: "Me han
concedido plena autoridad en cielo
y tierra. Vayan y hagan discípulos
entre todos los pueblos, bautícenlos
consagrándolos al Padre y al Hijo
y al Espíritu Santo, y enséñenles a
cumplir todo lo que yo les he mandado.
Yo estaré con ustedes siempre, hasta el
fin del mundo".

Mateo 28:18–20

Then Jesus approached and said to them, "All power in heaven and on earth has been given to me. Go, therefore, and make disciples of all nations, baptizing them in the name of the Father, and of the Son, and of the holy Spirit, teaching them to observe all that I have commanded you. And behold, I am with you always, until the end of the age."

Matthew 28:18–20

CAPÍTULO 1

Transmitir la fe

¿Alguna vez has participado en una carrera de relevos?
Cada miembro del equipo le pasa a la siguiente persona el testigo, tratando de no dejarlo caer. La carrera no puede continuar a menos que un miembro del equipo le pase cuidadosamente el testigo a la siguiente persona. Así como le pasamos el testigo a nuestro compañero de equipo, los católicos debemos preocuparnos de transmitir nuestra fe; pero nuestra fe es aun más preciada que un testigo. Transmitimos nuestra fe al estar cerca de Dios y al enseñar a los demás sobre la misma. Todo comienza en el Bautismo, cuando nos hacemos miembros de la Iglesia. Nos comprometemos a aprender acerca de la Iglesia y a compartir con los demás lo que aprendemos. Transmitimos nuestra fe.

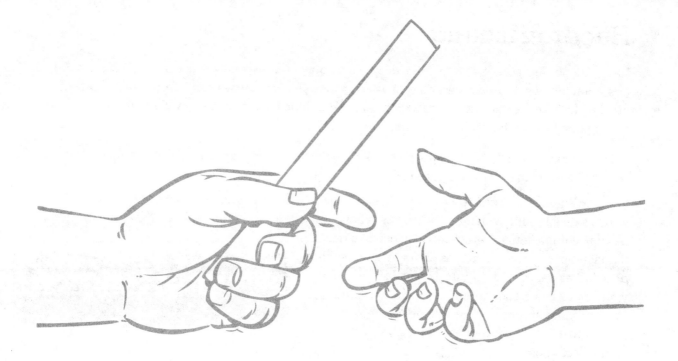

CHAPTER 1

Passing On Faith

Have you ever been part of a relay race team?

Each team member passes the baton to the next person in line,
trying not to drop the baton. The race cannot continue unless
one team member carefully passes the baton to the next. Just as
we pass the baton to our teammate, Catholics take care to pass
on our faith, although our faith is more precious than a baton.
We pass on our faith by staying close to God and teaching others
about our faith. This begins at Baptism, when we first become
members of the Church. We commit to learn about the Church and
to share what we learn with others. We pass on our faith.

Hacer cristianos

Hace mucho tiempo, apenas 200 años después de que Jesús ascendiera al Cielo, un escritor cristiano llamado Tertuliano escribió: "Los cristianos se hacen, no nacen". Tertuliano se refería a que la Iglesia utiliza ciertos métodos para hacer **cristianos**. La frase de Tertuliano quería decir lo mismo que Jesús había dicho justo antes de ascender al Cielo:

> "Vayan y hagan discípulos entre todos los pueblos, bautícenlos consagrándolos al Padre y al Hijo y al Espíritu Santo, y enséñenles a cumplir todo lo que yo les he mandado". (Mateo 28:19–20)

Jesús nos manda a bautizar y a enseñarles a otros lo que él nos enseñó a nosotros. Él nos mostró a través de su propia vida que los buenos cristianos deben ser ejemplos de fe, esperanza, amor, perdón, compasión, misericordia y justicia. Se nos llama a mostrarles a los demás cómo ser un seguidor de Jesús, es decir, un **discípulo**. La palabra *discípulo* viene de una raíz en latín que significa "aprender". Tenemos que aprender acerca de nuestra fe para poder mostrarles a los demás lo que significa vivir como discípulos.

> **Los cristianos se hacen, no nacen.**
> [Tertuliano, Padre de la Iglesia, siglo III d.C.]

Piensa y escribe

Escribe lo que significa para ti la palabra *cristiano*.

_____

_____

_____

Una mirada al futuro

Estás en el trayecto de tu formación como católico. Pero, ¿qué aspecto tiene un católico? Tal vez hayas visto fotos o dibujos de santos. Todos los católicos están llamados a ser santos. Los **santos** son personas sagradas y fieles. Pero para ser santos no tenemos que hacer milagros ni cosas impresionantes. En sus inicios, la Iglesia llamaba "santos" a todos los fieles seguidores de Jesús. ¿Y cómo vivían los santos? Los santos se consagraban a profesar su fe, expresar su fe, vivir su fe y rezar su fe.

> "Seguían las enseñanzas de los apóstoles, vivían en comunidad, participaban en la fracción del pan y oraban".

(adaptado de Hechos de los Apóstoles 2:42)

Making Christians

A long time ago, just 200 years after Jesus ascended to Heaven, a Christian writer named Tertullian wrote that "Christians are made, not born." Tertullian was saying that the Church uses certain methods to make **Christians.** Tertullian's reminder was saying the same thing that Jesus said right before he ascended to Heaven:

> *"Go, therefore, and make disciples of all nations, baptizing them in the name of the Father, and of the Son, and of the holy Spirit, teaching them to observe all that I have commanded you."*
>
> (Matthew 28:19–20)

Jesus is telling us to go out and baptize and teach others what he taught us. He showed us through his own life that good Christians should be examples of faith, hope, love, forgiveness, compassion, mercy, and justice. We are called to show others how to be a follower of Jesus', a **disciple.** The word *disciple* comes from a Latin root word that means "to learn." We need to learn about our faith so that we can show others what it means to live as disciples.

> **Christians are made, not born.**
> [Tertullian, Church Father, Third Century AD]

 Think and Write

Write what the word *Christian* means to you.

_____

_____

_____

Looking Ahead

You are on a journey to being formed as a Catholic. So what does a Catholic look like? You have probably seen pictures or drawings of saints. All Catholics are called to become saints. **Saints** are holy, faithful people. But we don't have to perform miracles or do amazing things to be saints. The early Church called all the faithful followers of Jesus "the saints." And how did the saints live? The saints devoted themselves to holding on to their faith, expressing their faith, living their faith, and praying their faith.

> *"They followed the teachings of the apostles, they lived together, they celebrated the breaking of the bread, and they prayed."*
>
> (adapted from Acts of the Apostles 2:42)

Los cuatro pilares de nuestra fe

Piensa en una silla robusta de madera. ¿Qué hace que la silla sea robusta? Cada pata sostiene una parte del peso de la persona que está sentada. Al igual que esa silla firme, los católicos tenemos cuatro "patas" sobre las cuales sostenernos, que nos sirven de ayuda para vivir y compartir nuestra fe. Los cuatro pilares de nuestra fe son los siguientes:

1. el Credo
2. los sacramentos
3. la vida moral
4. la oración

Los santos fueron los primeros seguidores de Jesús. Ellos creían en estos pilares y vivían de acuerdo con ellos. Cuando somos bautizados, entramos en una relación de amor con Dios y con los demás. Estos cuatro pilares nos ayudan a actuar como discípulos en todo lo que hacemos.

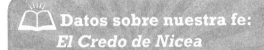

Datos sobre nuestra fe:
El Credo de Nicea

Rezamos el **Credo de Nicea** en la misa. Está basado en el Credo desarrollado por el Concilio de Nicea en el año 325 d.C. El Credo recibió su forma definitiva en el año 381 en el Concilio de Constantinopla. El Credo es un reflejo de la unidad entre los miembros de la Trinidad —Dios Padre, Dios Hijo y Dios Espíritu Santo—. Es un reflejo de la unidad que se nos pide que tengamos entre nosotros.

Ejemplo de amistad	La fe católica
Piensa en cómo tratas a un amigo.	Nuestra relación cercana y amorosa con Dios y de unos con otros se apoya en:
1. Amas a tu amigo porque crees que ciertas cosas acerca de él son verdaderas, por ejemplo, que es amable o que sabe perdonar.	1. lo que creemos acerca de Dios (el Credo).
2. Expresas tu amor por tu amigo abrazándolo, compartiendo con él o ayudándolo.	2. cómo expresamos nuestro amor por Dios y cómo Dios muestra su amor por nosotros (los sacramentos).
3. Tus acciones muestran tu amor y respeto por tu amigo.	3. nuestra forma de actuar hacia Dios y hacia los demás (la vida moral).
4. Te comunicas con tu amigo.	4. cómo nos comunicamos con Dios (la oración).

1. El Credo

¿Quiénes son algunas personas en las que crees? ¿Por qué crees en ellas? Creer en alguien supone tener una relación con esa persona y confiar en ella. La confianza que tiene un bebé en su madre es un buen ejemplo. El bebé aprende a confiar porque su madre le cambia los pañales, le da a comer, lo baña y lo consuela. El bebé tiene fe en la madre gracias a las acciones amorosas de ella.

The Four Pillars of Our Faith

Think about a sturdy wooden chair. What makes that chair sturdy? Each leg holds some of the weight of the seated person. Just like that sturdy chair, Catholics have four legs to stand on that help us live out and share our faith. The following are the four pillars of our faith:

1. the Creed

2. the sacraments

3. the moral life

4. prayer

The saints were the first followers of Jesus. They believed in these pillars and lived according to them. When we are baptized, we enter into a loving relationship with God and with others. These four pillars help us act as disciples in all that we do.

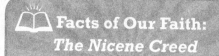

Facts of Our Faith:
The Nicene Creed

We pray the **Nicene Creed** at Mass. It is based on the Creed developed by the Council of Nicea in A.D. 325. The Creed was given its final form in 381 at the Council of Constantinople. The Creed is a reflection of the unity of the members of the Trinity—God the Father, God the Son, and God the Holy Spirit. It is a reflection of the unity we are called to have with one another.

Friendship Example	The Catholic Faith
Think about how you treat a friend.	Our close and loving relationship with God and with one another is supported by:
1. You love your friend because you believe certain things about him or her to be true, such as your friend is kind or forgiving.	1. what we believe about God (the Creed).
2. You express your love for your friend, such as through hugs, sharing, or helping.	2. how we express our love for God and how God shows his love for us (the sacraments).
3. Your actions show your love and respect for your friend.	3. how we act toward God and toward others (the moral life).
4. You communicate with your friend.	4. how we communicate with God (prayer).

1. The Creed

Who are some people that you believe in? Why do you believe? To believe in someone is to have a relationship with that person and to trust that person. The trust that a baby has for his or her mother is a good example. The baby learns to trust because the mother changes diapers, feeds, bathes, and comforts the baby. The baby has faith in the mother because of the mother's loving actions.

Nuestra fe en Dios es así. Las historias de la Biblia muestran que Dios siempre le ha sido fiel a su pueblo. Las historias de los santos son excelentes ejemplos del amor y la confianza de Dios. Las personas presentes en nuestra vida nos muestran su fe al compartir sus experiencias. Nuestras propias experiencias en la vida pueden hacernos creer que podemos confiar en Dios. En el Credo decimos lo que creemos.

2. Los sacramentos

Los seres humanos expresamos nuestro amor de muchas maneras más allá de las palabras, como con sonrisas o acciones amables. Como católicos, damos culto en la misa y participamos en los **sacramentos**. Usamos signos, símbolos y rituales para sentir a Dios y expresar nuestro amor por él. Los sacramentos son signos sagrados de nuestra fe y han sido instituidos por Jesucristo.

 ¡Vívelo!

Así como el sacramento del Bautismo nos da la bienvenida a la Iglesia, describe una forma de darle la bienvenida a alguien nuevo en tu comunidad parroquial.

_____

_____

_____

3. La vida moral

Piensa en lo que sientes cuando haces algo que sabes que no debes hacer. Piensa en lo que sientes cuando desinteresadamente haces algo amable por alguien. Tal vez lo hagas solo para mostrarle a esa persona que te preocupas por ella. Dios nos ama. Él nos invita a amarlo y a amar a los demás. Como amamos a Dios, estamos llamados a demostrar ese amor. Tratamos de evitar acciones que no demuestren amor. Así es como podemos vivir una vida moral. Es así de sencillo.

Vivir una vida moral debe ser algo fácil. Hay solo 10 reglas a seguir —los **Mandamientos**— y Dios es tan maravilloso y cariñoso que, ¿quién haría algo que no le guste a él? La verdad es que a veces olvidamos lo bueno que Dios es con nosotros. Esto podría llevarnos a tomar malas decisiones.

Vivir una vida moral no es simplemente evitar cosas o decisiones malas. Es cuestión de reconocer que Dios nos ama y de luego responder a ese amor amando a nuestro prójimo. Dios es fiel a nosotros, así que no podemos herir a Dios a través de malas decisiones. Al hacerlo, sencillamente nos hacemos daño a nosotros mismos.

> **Datos sobre nuestra fe:**
> *Los Mandamientos*
>
> Los tres primeros mandamientos nos enseñan acerca del amor a Dios. Los últimos siete mandamientos nos enseñan acerca del amor al prójimo.

Our faith in God is like that. The stories in the Bible show that God has always been faithful to his people. The stories of the saints are great examples of God's love and trust. People in our lives show us faith by sharing their own experiences. Our own life experiences can lead us to believe that God can be trusted. In the Creed, we say what we believe.

2. The Sacraments

Humans express their love in many ways other than words, such as smiles or kind actions. As Catholics, we worship at Mass and participate in the **sacraments**. We use signs, symbols, and rituals to experience God and to express our love for him. Sacraments are sacred signs of our faith and are instituted by Jesus Christ.

Live It!

Just as the Sacrament of Baptism welcomes us into the Church, describe one way you can welcome someone new into your parish community.

_____

_____

_____

3. The Moral Life

Think about how you feel when you do something you know you shouldn't do. Think about how you feel when you do something thoughtful for someone for no reason. You might do it just to show someone that you care about him or her. God loves us. He is inviting us to love him and others. Because we love God, we are called to show that love. We try to avoid actions that don't show love. That is how we can live a moral life. It's that simple.

Living a moral life should be easy. There are only 10 rules to follow—the **commandments**—and God is so wonderful and loving, who would ever do something he would not like? The truth is that we can forget how good God is to us. This can lead to bad choices.

Living the moral life is not just avoiding bad things and choices. It is a matter of recognizing how God loves us and then responding to that love by loving our neighbors. God is faithful to us, and we cannot hurt God through our bad choices. We can only hurt ourselves.

Facts of Our Faith: *The Commandments*

The first three commandments teach us about loving God. The last seven commandments teach us about loving our neighbors.

¡Vívelo!

Escribe acerca de una manera en que puedes mostrarle el amor de Dios a alguien que lo necesite en tu comunidad.

_____

_____

_____

4. La oración

¿Cómo nos comunicamos con las personas que amamos? Hablamos con ellas y las escuchamos. La oración es la mejor manera de comunicarnos con Dios. La comunicación consiste tanto en hablar como en escuchar. A veces a la gente se le olvida escuchar. Si no escuchamos, estamos perdiéndonos la voz de Dios. Más adelante en este libro vamos a aprender acerca de cómo Dios nos habla y lo que significa escuchar la voz de Dios. Por ahora, sabemos que la oración es el cuarto pilar de nuestra fe católica. Sin la oración, esa silla firme tendría solo tres patas y se rompería.

> **Si no escuchamos, estamos perdiéndonos la voz de Dios.**

Piensa y escribe

Describe ocasiones en las que hablas con Dios y lo escuchas.

_____

_____

_____

_____

¿Y qué importa esto?

¿Por qué es importante que los católicos creamos que "los cristianos se hacen, no nacen"? Porque significa que estamos llamados a responder a Dios viviendo nuestra fe. Si seguimos los cuatro pilares de nuestra fe, podemos ser un ejemplo para los demás. La fe es algo que recibimos. No nos pertenece; nos ha sido transmitida. La cuidamos, protegemos y transmitimos. Podemos pensar en Dios como el alfarero y en nosotros como la arcilla. Dios, a través de la Iglesia, nos da forma.

Live It!

Write about one way you can show God's love to someone in need in your community.

_____

_____

_____

4. Prayer

How do we communicate with people we love? We talk and listen to them. Prayer is the best way to communicate with God. Communication is both speaking and listening. People sometimes forget to listen. If we don't listen, we are missing the voice of God. We will learn more about how God speaks to us and what it means to hear God's voice later in this book. For now, know that prayer is the fourth pillar of our Catholic faith. Without prayer, that sturdy chair would have only three legs, and it would collapse.

> If we don't listen, we are missing the voice of God.

Think and Write

Describe times when you talk to God and when you listen to God.

_____

_____

_____

_____

_____

So What?

So what difference does it make for Catholics to believe that "Christians are made, not born"? It means that we are called to respond to God by living our faith. If we follow the four pillars of our faith, we can be examples for others. Faith is something that we receive. It does not belong to us; it is passed on to us. We care for, protect, and pass on our faith. We can think of God as the potter and ourselves as the clay. God, through the Church, shapes us.

Repaso

Sagradas Escrituras

"Vayan y hagan discípulos entre todos los pueblos, bautícenlos en el nombre del Padre y del Hijo y del Espíritu Santo. Enséñenles a cumplir todo lo que yo les he mandado. Yo estaré con ustedes para siempre".

(adaptado de Mateo 28:19–20)

Oración

Señor, cada día es una nueva oportunidad para que hagas de mí uno de tus discípulos. Ayúdame a estar más cerca de ti a través de la oración y a compartir tu amor con los demás. Amén.

Ideas principales del capítulo

- "Los cristianos se hacen, no nacen".
- Estamos llamados a ser discípulos.
- Los cuatro pilares de nuestra fe son el Credo, los sacramentos, la vida moral y la oración.

Palabras a memorizar

cristiano   Mandamiento   discípulo   Credo de Nicea   sacramento   santo

Responde

Una manera en la que puedo seguir el Credo esta semana es:

_____

Una manera en la que puedo participar en los sacramentos esta semana es:

_____

Una manera en la que puedo vivir una vida moral esta semana es:

_____

Una manera en la que puedo comunicarme con Dios mediante la oración esta semana es:

_____

En casa

Comenta la siguiente pregunta con un adulto. Escribe tu respuesta.

Nombra una persona que consideras un modelo de fe. ¿Qué podemos aprender de esa persona?

_____

_____

Review

Scripture

"Go and make disciples of all nations, baptizing them in the name of the Father, and of the Son, and of the Holy Spirit. Teach them to observe all that I have given you. Know that I am with you forever and always."

(adapted from Matthew 28:19–20)

Prayer

Lord God, each day is a new chance for you to make me into one of your disciples. Help me to stay close to you through prayer and to share your love with others. Amen.

Chapter Highlights

- "Christians are made, not born."
- We are called to be disciples.
- The four pillars of our faith are the Creed, the sacraments, the moral life, and prayer.

Terms to Remember

Christian   **commandment**   **disciple**   **Nicene Creed**   **sacrament**   **saint**

React

One way I can follow the Creed this week is:

_____

One way I can participate in the sacraments this week is:

_____

One way I can live out the moral life this week is:

_____

One way I can communicate with God through prayer this week is:

_____

At Home

Discuss this question with a grown-up. Write your answer.

Name a person you think is a role model of faith. What can we learn from him or her?

_____

_____

CAPÍTULO 2

Dios llama, nosotros respondemos

 ¿Qué aficiones tienes? ¿Te gusta fabricar joyas, hacer experimentos científicos o construir cosas? ¿Por qué te gusta? Cuando terminas un proyecto, ¿a quién se lo muestras? A la mayoría de la gente le gusta compartir con los demás las cosas que le interesan. Cuando otros saben lo que nos interesa, pueden llegar a conocernos. De la misma manera, Dios está muy interesado en su creación. Podemos conocer mejor a Dios a través de su creación maravillosa. Dios nos invita a compartir y a participar en su creación. Dios se revela ante nosotros de muchas maneras para que no olvidemos estar cerca de él.

CHAPTER 2

God Calls, We Respond

 What hobbies do you like to do? Are you interested in making jewelry, doing science experiments, or building things? Why do you like it? When you finish a project, who sees it? Most people like to share their interests with others. When people get to know our interests, they get to know us. In the same way, God is very interested in his creation. We can get to know God better through his marvelous creation. God invites us to share and participate in his creation. God shows himself to us in many ways that remind us to stay close to him.

Llegar a conocerte

Piensa en lo que sientes el primer día de clases. ¿Te pones un poco nervioso de hacer nuevos amigos? ¿Deseas conocer ya a algunos de tus compañeros de clase? Cuando uno llega a la escuela, ¿cuál es una las primeras cosas que hace el maestro? La mayoría de los maestros se presentan y los niños se presentan entre sí. Algunos maestros hacen juegos que ayudan a que los compañeros puedan conocerse.

Estos juegos a menudo se hacen para "romper el hielo". Para romper el hielo se le puede pedir a los demás que compartan información sobre su familia, mascotas, intereses, deportes o juegos que le gusta jugar. Compartir esta información nos ayuda a formar relaciones con los demás. Por ejemplo, si te enteras de que a Olivia le gusta jugar al fútbol, tal vez quieras conocerla mejor.

Nuestra fe católica se basa en la relación con Dios. Dios quiere que cada uno de nosotros esté cerca de él. Para hacerlo, Dios se revela, o se da a conocer, ante nosotros. A pesar de que Dios lo sabe todo acerca de nosotros, siempre nos invita a estar más cerca de él. A este acto en que Dios se da a conocer ante nosotros lo llamamos **Revelación**.

La Revelación es el acto de Dios de mostrarse a sí mismo ante nosotros para que podamos estar cerca de él. Dios es quien nos está invitando a estar con él. Nosotros solo aceptamos su invitación. Dios nos llama y quiere que respondamos a su llamado.

> **Dios nos llama y quiere que respondamos a su llamado.**

 Piensa y escribe

Imagina que Dios te está llamando por teléfono. ¿Por qué crees que está llamando?

_____

_____

_____

📖 Datos sobre nuestra fe: *La Revelación en la Biblia*

La Revelación es el acto en el que algo o alguien se revela. Con respecto a la Biblia, la Revelación se refiere a que Dios se revela a sí mismo y revela su plan de Salvación para nosotros. Creemos que la parte más importante de la Revelación de Dios es Jesús. En Jesús el Dios invisible se hace visible, es decir, se revela.

Getting to Know You

Think about how you feel on the first day of school. Are you a little nervous about making new friends? Are you hoping that you will know some of the people in your class? When you get to school, what is one of the first things the teacher does? Most teachers introduce themselves and the students to one another. Some teachers might lead you in games that help you get to know a little bit about one another.

These games are often called ice breakers. Ice breakers might ask people to share information about their families, pets, interests, sports, or hobbies. Sharing this information helps you form relationships with others. For example, once you know that Olivia likes to play soccer, you might decide you want to get to know her better.

Our Catholic faith is about relationship with God. God wants each of us to be close to him. To do this, God reveals, or makes himself known, to us. Even though God knows everything about us, he is always inviting us to be closer to him. We call this act of God's self-revealing **Revelation.**

Revelation is God showing himself to us so that we can be close to him. God is the one that is inviting us to be with him. We are just saying yes to his invitation. God calls us, and he wants us to answer his call.

> **God calls us, and he wants us to answer his call.**

Think and Write

Imagine that God is calling you on the phone. Why do you think he is calling?

_____

_____

_____

Facts of Our Faith: *Revelation in the Bible*

Revelation is the act of something or someone being revealed. In the Bible, Revelation refers to God's act of revealing himself and his saving plan for us. We believe that the most important part of God's Revelation is Jesus. In Jesus, the invisible God becomes visible, revealed.

Dios es quien manda

Imagínate esta escena: después de la escuela tú y algunos amigos deciden salir a jugar. De inmediato Emma establece las normas y elige su equipo. Te sorprende su actitud mandona. Esta actitud puede ser algo positivo. Sin embargo, en nuestra vida espiritual se necesita un enfoque diferente. Ser más espiritual consiste en dejar que sea Dios quien mande. Cuando decidimos que debemos orar más, ser más agradables con nuestros hermanos y hermanas o ayudar en nuestra comunidad, simplemente estamos haciendo lo que Dios ha planeado para nosotros.

La historia de Adán y Eva es un ejemplo de personas que trataron de "llevar las riendas" en lo espiritual. Adán y Eva decidieron que podían tomar las riendas y ser semejantes a Dios, así que comieron del fruto del árbol del conocimiento del bien y el mal. Llamaron la atención de Dios, pero él no estuvo nada contento con esto. Dios echó a Adán y a Eva fuera del jardín.

> **Desde el momento de nuestro nacimiento Dios ha estado siguiéndonos, buscándonos e invitándonos a estar cerca de él.**

Veamos ejemplos de algunas personas que respondieron al llamado de Dios en vez de querer llevar las riendas de su vida.

- Abrahán y Sara reconocieron que Dios los estaba llamando a una nueva vida y respondieron saliendo de su casa y partiendo hacia una tierra desconocida.
- Moisés reconoció la presencia de Dios en una zarza en llamas y respondió a la invitación de Dios de liberar a su pueblo de la esclavitud.
- María respondió al mensajero de Dios, el ángel Gabriel, aceptando la invitación de Dios de convertirse en la madre de su Hijo.

Todas estas personas respondieron al llamado de Dios con un sí. Oyeron lo que Dios decía y aceptaron con respeto. Responder a la invitación de Dios es un reto para cualquier persona. Desde el momento de nuestro nacimiento Dios ha estado siguiéndonos, buscándonos e invitándonos a estar cerca de él. Es muy importante entender esto. Debemos seguir aprendiendo a encontrar formas de responder al llamado de Dios. Dios ya ha dado el primer paso.

God Is in Charge

Imagine this scene. After school, you and a few friends decide to play a game outside. Right away Emma lays down the rules and chooses her team. You are surprised at her take-charge attitude. Such an attitude can be a very good thing. However, a different approach is needed in our spiritual lives. Being more spiritual is letting God take charge. When we decide that we should pray more, be nicer to our little brothers and sisters, or help in our community, we are simply doing what God has planned for us.

The story of Adam and Eve is an example of people trying to take charge spiritually. Adam and Eve decided they could take charge and become godlike by eating the fruit of the tree of knowledge of good and evil. They got God's attention, but he was not happy with them. God sent Adam and Eve away from the garden.

> Since the moment of our birth, God has been following us, seeking us out, and inviting us to be close to him.

Let's take a look at people who responded to God's call instead of taking charge.

- Abraham and Sarah recognized that God was calling them to a new life, and they responded by leaving their home and moving to a strange land.
- Moses saw God's presence in a burning bush and responded to God's invitation to lead his people out of slavery.
- Mary responded to God's messenger, the angel Gabriel, by accepting God's invitation to become the mother of his Son.

All of these people answered God's call by saying yes. They heard what God said and respectfully accepted. The challenge for all people is to respond to God's invitation. Since the moment of our birth, God has been following us, seeking us out, and inviting us to be close to him. Understanding this is very important. We must keep learning to find ways to respond to God's call. God has already taken the first step.

Piensa y escribe

Completa la tabla describiendo con tus propias palabras el llamado de Dios a Isaías y después a Simón y Andrés. Luego describe cómo respondieron ellos.

	Llamado de Dios	Respuesta de su pueblo
Isaías 6:1–13		
Marcos 1:16–20		

Hágase tu voluntad

Toda la vida de Jesús pinta un cuadro de cómo responder a Dios. Él fue capaz de decirle que sí a Dios en cada situación. Aun cuando sabía que iba a morir en la cruz, Jesús fue capaz de decir: ". . . pero no se haga mi voluntad, sino la tuya" (Lucas 22:42). Cuando vemos que Dios es el que nos lleva y nos dirige, podemos ver que nuestro trabajo es averiguar lo que él nos está pidiendo que hagamos. Entonces podemos responder como lo hizo Jesús: "hágase tu voluntad".

¡Vívelo!

Piensa en alguien que haya escuchado el llamado de Dios en su vida y haya dicho que sí. Describe cómo esa persona respondió al llamado. Luego escribe una manera en la que tú puedes seguir su ejemplo.

_____

_____

_____

_____

_____

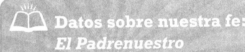

Datos sobre nuestra fe: *El Padrenuestro*

Tal vez reconozcas las palabras "hágase tu voluntad". Son parte del Padrenuestro, también conocido como la Oración del Señor. Hay dos versiones del Padrenuestro en los Evangelios. Una se encuentra en Mateo y la otra en Lucas. La versión de Mateo es la que usa la Iglesia en la misa. Jesús usó esta oración cuando enseñó a sus discípulos a rezar. (*Catecismo de la Iglesia Católica* 2767)

Think and Write

In your own words, fill in the chart by describing God's call to Isaiah and to Simon and Andrew. Then describe how they responded.

	God's Call	His People's Response
Isaiah 6:1–13		
Mark 1:16–20		

Thy Will Be Done

Jesus' entire life paints a picture of how to respond to God. He was able to say yes to God in every situation. Even when he knew he was going to die on the cross, Jesus was able to say ". . . still, not my will but yours be done." (Luke 22:42) When we see that God is the one leading us and taking charge, we can see that our job is to figure out what he is asking us to do. Then we can respond as Jesus did, "thy will be done."

Live It!

Think of someone who has heard God's call in his or her life and has said yes. Describe how that person responded to the call. Then write one way you can follow his or her example.

_____

_____

_____

_____

_____

Facts of Our Faith: *The Lord's Prayer*

You probably recognize the words "thy will be done." They are part of the Lord's Prayer. Two versions of the Lord's Prayer are found in the Gospels. One is found in Matthew and one in Luke. Matthew's version is the one the Church uses at Mass. Jesus used this prayer when instructing his disciples on how to pray. (*Catechism of the Catholic Church* 2767)

La humildad

Cuando comprendemos que Dios se revela ante nosotros y quiere que lo conozcamos, nos damos cuenta de que "no se trata de nosotros". Se trata de Dios y de lo que Dios hace en nuestra vida. Este tipo de actitud demuestra **humildad**. ¿Qué es la humildad? La humildad es reconocer que todos nuestros dones y talentos vienen de Dios. Los santos no son personas que atraen la atención hacia sí mismos, sino hacia Dios. A continuación aparecen algunos ejemplos de cómo los santos vivieron su vida en función de Dios.

- San Juan Bautista dijo: "Él debe crecer y yo disminuir" (Juan 3:30).
- La Virgen María dijo: "Mi alma canta la grandeza del Señor" (Lucas 1:46).
- San Ignacio de Loyola enseñó a la gente a hacerlo todo para la mayor gloria de Dios.

San Juan Bautista, la Virgen María y san Ignacio vivieron una vida de gran humildad. Reconocieron que Dios se revelaba ante ellos y respondieron haciendo la voluntad de Dios.

¡Vívelo!

Antes de la Última Cena, Jesús mostró gran humildad al lavar los pies de los discípulos (Juan 13:5–17). ¿Cómo puedes mostrar humildad en cada uno de los siguientes ejemplos?

Una abuela en un hogar de ancianos:

_____

_____

Un niño que está solo en el patio de recreo:

_____

_____

¿Y qué importa esto?

¿Por qué es importante que los católicos creamos en la Revelación? Porque significa que tenemos que aprender a prestar atención al llamado de Dios y responder con un sí. San Ignacio de Loyola dijo que hay que "encontrar a Dios en todas las cosas". Suena difícil, pero es sencillo. Podemos encontrar a Dios en una flor o en un cálido abrazo, y podemos encontrar a Dios también en los momentos difíciles. Cuando nos sentimos abandonados, podemos aprender a no olvidar nunca que debemos incluir a los demás. Cuando estamos aburridos, podemos utilizar este tiempo para compartir con Dios lo que estamos pensando. Cuando nos metemos en problemas, podemos reflexionar y volvernos hacia Dios. Dios quiere nuestra atención. Podemos responder con humildad en nuestras palabras y acciones.

Humility

When we understand that God reveals himself to us and wants us to know him, we realize that "it's not about us." It's about God and what God is doing in our lives. This kind of attitude shows **humility.** What is humility? Humility is recognizing that all our gifts and talents come from God. Saints are not people who draw attention to themselves—they draw attention to God. Here are a few examples of how the saints lived their lives for God.

- John the Baptist said, "He must increase; I must decrease." (John 3:30)
- Mary said, "My soul proclaims the greatness of the Lord. . ." (Luke 1:46)
- Saint Ignatius of Loyola taught people to do all things for the greater glory of God.

John the Baptist, Mary, and Saint Ignatius all lived lives with great humility. They recognized that God was revealing himself to them and responded by doing God's will.

 Live It!

Before the Last Supper, Jesus showed great humility as he washed the feet of the disciples (John 13:5–17). How can you show humility in each of these examples?

A grandmother in a retirement home:

_____

_____

A child who is standing alone on the playground:

_____

_____

 So What?

So what does Revelation mean to Catholics? It means that we should learn to pay attention to God's call and respond by saying yes. Saint Ignatius of Loyola said to "find God in all things." It sounds difficult, but it's quite simple. We can find God in a flower or a warm hug, and we can find God in difficult times too. When we feel left out, we can learn to remember always to include others. When we're bored, we can use this time to share with God what's on our mind. When we get in trouble, we can reflect and turn back to God. God wants our attention. We can respond with humility in our words and actions.

Repaso

Sagradas Escrituras

Moisés pastoreaba el rebaño de su suegro Jetró. Una vez llevó el rebaño más allá del desierto hasta llegar a Horeb, el monte de Dios. El ángel del Señor se le apareció en una llamarada entre las zarzas. Viendo el Señor que Moisés se acercaba a mirar, lo llamó desde la zarza: "Moisés, Moisés". Respondió él: "Aquí estoy".

(adaptado de Éxodo 3:1–2,4)

Oración

Señor, desde antes que yo naciera has anhelado estar cerca de mí. Ayúdame a reconocer las diversas maneras en que te revelas ante mí y a reconocer el llamado que me haces. Ayúdame a responder a tu invitación de amarte, amando a los demás. Dame la gracia que necesito para recitar las palabras "hágase tu voluntad". Amén.

Ideas principales del capítulo

- Nuestra fe católica se basa en la relación con Dios.
- La Revelación es el acto de Dios de mostrarse a sí mismo ante nosotros.
- Dios llama y nosotros respondemos a ese llamado.
- Mostramos humildad cuando nos damos cuenta de que no se trata de nosotros, sino de lo que Dios hace en nuestra vida.

Palabras a memorizar

humildad   **Revelación**

Responde

Aprendimos que Dios siempre está revelándose ante nosotros. ¿Dónde podemos encontrar a Dios? Haz una red de palabras poniendo la palabra *Revelación* en el centro. En una hoja aparte escribe por lo menos cinco formas en las que encuentras a Dios en tu propia vida.

En casa

Comenta las siguientes preguntas con un adulto. Escribe tus respuestas.

¿Cómo se revela Dios ante nuestra familia? ¿Qué podemos hacer para responder a su llamado?

_____

_____

_____

Review

Scripture

Moses was tending the flock of his father-in-law Jethro. While he was leading the flock across the desert, he came to Horeb, the mountain of God. An angel of the Lord appeared to him in fire flaming out of a bush. When the Lord saw him coming closer, God called out to him from the bush, "Moses! Moses!" He answered, "Here I am."

(adapted from Exodus 3:1–2,4)

Prayer

Lord, God, since before I was born, you have been longing to be close to me. Help me to recognize the many ways you reveal yourself to me and to recognize your call for me. Help me to respond to your invitation to love you by loving others. Give me the grace I need to pray the words "your will be done." Amen.

Chapter Highlights

- Our Catholic faith is about our relationship with God.
- Revelation is God showing himself to us.
- God calls and we answer that call.
- We show humility when we realize it's not about us; it's about what God is doing in our lives.

Terms to Remember

humility   **Revelation**

React

We learned that God is always revealing himself to us. Where do you find God? On a separate sheet of paper, make a word web with the word *Revelation* in the middle. Write at least five ways you find God in your own life.

At Home

Discuss these questions with a grown-up. Write your answers.

How is God revealing himself to our family? What can we do to answer his call?

_____

_____

_____

CAPÍTULO 3

¿Quién manda?
Las Sagradas Escrituras y la Tradición

 **¿Cuáles son algunas cosas que la gente siempre piensa que van juntas?** Tal vez pienses en la sal y la pimienta, el agua y el jabón, los calcetines y los zapatos o el Sol y Luna. En nuestra fe católica existe un dúo importante que nos conduce y nos guía. Este dúo consiste de las Sagradas Escrituras y la Tradición. Las Sagradas Escrituras son la Palabra de Dios escrita en la Biblia. La Tradición es la transmisión de la enseñanza de los apóstoles a través de la Iglesia y bajo la guía del Espíritu Santo. Las Sagradas Escrituras y la Tradición se unen para guiarnos en nuestro camino de fe.

CHAPTER 3

Who's the Boss?

Scripture and Tradition

 What are some things that people always think go together? Perhaps you think of salt and pepper, soap and water, socks and shoes, or the sun and the moon. In our Catholic faith, there is one important pairing that leads and guides us. That pairing is Scripture and Tradition. Scripture is the written Word of God found in the Bible. Tradition is the handing down of the teaching of the apostles through the Church and with the guidance of the Holy Spirit. Scripture and Tradition are linked together to guide us in our journey of faith.

"¿Quién lo dice?"

Piensa en lo que sientes cuando tu hermano o hermana mayor te dice lo que tienes que hacer. Imagina que tu hermana te dice: "Ve a limpiar tu cuarto". ¿Cuál sería su respuesta? Podrías responder: "¿Quién lo dice?". Querrías saber por qué ella te está dando órdenes. Si ella contesta: "Papá lo dice", probablemente irías a limpiar tu cuarto porque sabes que debes hacer lo que tus padres te mandan. Su respuesta te indica que tu padre le dio autoridad a tu hermana para decírtelo.

¿Qué significa entonces la palabra *autoridad*? Autoridad significa "el derecho a dar órdenes o tomar decisiones" o "una persona en quien podemos confiar que nos dará la información o el consejo correcto".

Jesús hablaba con autoridad. Jesús instruyó acerca de cómo vivir. Algunos se preguntaban de dónde le venía a Jesús su autoridad. Preguntaban: "¿Quién lo dice?". Jesús dejó muy claro de dónde provenía su autoridad.

> *"Me han concedido plena autoridad en cielo y tierra".* (Mateo 28:18)

Jesús habla con la autoridad de Dios. Luego Jesús le dio esa autoridad a su Iglesia, cuando le dijo a Pedro que edificaría su Iglesia sobre él y le dio las llaves del reino (Mateo 16:18–19). Cuando alguien recibe las llaves de algo, esto demuestra que tiene autoridad. Los maestros tienen las llaves de su aula. Los adultos tienen las llaves de su casa. Algunas personas quieren saber de dónde viene nuestra autoridad. Toda autoridad viene de Dios.

Las Sagradas Escrituras y la Tradición

Los católicos creemos que la Revelación de Dios se encuentra tanto en las Sagradas Escrituras como en la Tradición. Recuerda que la Revelación es el acto de Dios de mostrarse a sí mismo ante nosotros. Las **Sagradas Escrituras** son la Biblia. El Antiguo Testamento contiene los escritos sagrados del pueblo de Israel y el Nuevo Testamento contiene los escritos sagrados de los cristianos. Los escritos de la Biblia están inspirados por el Espíritu Santo.

La palabra *Tradición* tiene un significado especial para los católicos. **Tradición** con T mayúscula describe cómo la Iglesia entiende, acepta y vive el mensaje del Evangelio (lo que Jesús enseñó). La Tradición significa mucho más que las costumbres y prácticas que tenemos los católicos (eso es *tradición* con t minúscula) tales como encender las velas de la corona de Adviento o abstenerse de comer carne los viernes durante la Cuaresma. La Tradición (con T mayúscula) se refiere a que hay partes de nuestra fe que no se pueden abandonar y que son obligatorias para los católicos. Entre los ejemplos de Tradición están nuestra fe en que Jesús es a la vez humano y divino, que somos leales al Papa como Vicario de Cristo y que estamos comprometidos con la Eucaristía como presencia real de Cristo y centro de la vida cristiana. De la misma manera en que fueron compuestas las Sagradas Escrituras, la Tradición se formó por la guía del Espíritu Santo.

"Says Who?"

Think about how you feel when your older brother or sister tells you what to do. Your sister might say "Clean your room." What would your response be? You might say "Says who?" You would want to know why she is giving you orders. If she responds "Says Dad," you might want to clean your room because you know that you should do what your parents ask. Her answer tells you that your dad gave your sister authority to tell you.

So what does the word *authority* mean? Authority means "the right to give orders or make decisions" or "a person that can be trusted to give the right information or advice."

Jesus spoke with authority. Jesus gave instructions about how to live. Some people asked where Jesus was getting his authority. They were asking "Says who?" Jesus made it very clear where his authority came from.

> *"All power in heaven and on earth has been given to me."*
> (Matthew 28:18)

Jesus speaks with the authority of God. Jesus then gives this authority to his Church when he told Peter that he would build his church upon him and gave him the keys of the kingdom (Matthew 16:18–19). When people are given the keys to something, it shows they have authority. Teachers have keys to their classrooms. Adults have keys to their homes. Some people want to know where our authority comes from. All authority comes from God.

Scripture and Tradition

For Catholics, God's Revelation is found in both Scripture and Tradition. Remember that Revelation is God showing himself to us. **Scripture** is the Bible. The Old Testament contains the holy writings of the people of Israel and the New Testament contains the holy writings of the Christians. The writings in the Bible are inspired by the Holy Spirit.

The word *Tradition* has a special meaning to Catholics. **Tradition,** with a capital *T*, describes how the Church understands, accepts, and lives out the message of the Gospel (what Jesus taught). Tradition means more than the customs and practices that Catholics have (that's *tradition* with a lowercase *t*), such as the lighting of the Advent wreath candles or abstaining from meat on Fridays during Lent. Tradition (with a capital *T*) means that parts of our faith cannot be abandoned and that are binding for Catholics. Examples of Traditions are our belief that Jesus is both human and divine, that we are loyal to the pope as the Vicar of Christ, and that we are committed to the Eucharist as the Real Presence of Christ and the center of Christian life. Just as the Scriptures came to be, Tradition was formed by the guidance of the Holy Spirit.

Dios sigue hablándonos a través del Papa, los obispos y las enseñanzas de la Iglesia, que constituyen una Tradición viva. De esta manera la Palabra de Dios sigue hablándonos hoy, resolviendo problemas que no existían cuando fue escrita la Biblia, como las cuestiones ambientales. Las Sagradas Escrituras y la Tradición funcionan en conjunto para ayudarnos a entender nuestra fe católica y mantenernos cerca de ella.

Transmitir el mensaje

El punto culminante de la Revelación de Dios es Jesucristo. Jesús habla y actúa con autoridad porque él es el Hijo de Dios. Es por eso que Jesús les da a sus apóstoles la misión de llevar a cabo su trabajo y envía a su Espíritu Santo para guiarlos. En la Iglesia los obispos son quienes garantizan que el mensaje que los católicos recibimos siga siendo fiel al Evangelio. Lo hacen con la ayuda del Espíritu Santo. La Palabra de Dios viene tanto de las Sagradas Escrituras como de la Tradición viva. Con este diagrama podemos ver cómo funciona la autoridad.

Datos sobre nuestra fe: *El Magisterio*

Cuando se habla de la autoridad de la Iglesia como maestra o profesora, se utiliza el término **Magisterio** para referirse a los obispos en comunión con el Papa y bajo la guía del Espíritu Santo. Confiamos en el Magisterio para enseñar e interpretar con autenticidad las verdades de nuestra fe, es decir, la Tradición. Lee más acerca de esto en la página 25.

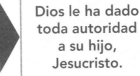

Dios tiene toda autoridad.	**Dios le ha dado toda autoridad a su hijo, Jesucristo.**	**Jesús le ha dado autoridad a la Iglesia, a través de San Pedro y sus sucesores (los obispos).**

 ¡Vívelo!

Hemos sido llamados a actuar como discípulos de Cristo y a enseñar a los demás acerca de las Sagradas Escrituras y la Tradición. Imagina que le estás explicando las Sagradas Escrituras y la Tradición a un alumno más joven. Escribe una breve explicación de cada una.

Mi explicación de lo que son las Sagrada Escrituras: _____

_____

Mi explicación de lo que es la Tradición: _____

_____

God continues to speak to us through the pope, the bishops, and the teachings of the Church, which make up a living Tradition. In this way, God's Word continues to speak to us today, addressing issues that didn't exist when the Bible was written, such as environmental issues. Scripture and Tradition are partners in helping us to understand and stay close to our Catholic faith.

Passing on the Message

The high point of God's Revelation is Jesus Christ. Jesus speaks and acts with authority because he *is* the Son of God. Jesus then gives his apostles the mission to carry on his work and sends his Holy Spirit to guide them. In the Church, the bishops are the ones who make sure the message to Catholics remains faithful to the Gospel. They do this with the help of the Holy Spirit. The Word of God comes from both Scripture and a living Tradition. We can see how authority works with this diagram.

Facts of Our Faith: *The Magisterium*

When talking about the teaching authority of the Church, we use the term **Magisterium**, referring to the bishops in communion with the pope and under the guidance of the Holy Spirit. We trust the Magisterium to authentically teach and interpret the truths of our faith, the Tradition. Read more about this on page 25.

| God has all authority. | → | God has given all authority to his Son, Jesus Christ. | → | Jesus has given authority to the Church, through Peter and his successors (the bishops). |

Live It!

We are called to act as disciples of Christ and teach others about Scripture and Tradition. Imagine you were explaining Scripture and Tradition to a younger student. Write a short explanation of each.

My explanation of Scripture is: _____

_____

My explanation of Tradition is: _____

_____

¿Qué vino primero, las Sagradas Escrituras o la Tradición?

La Biblia, tal como la conocemos hoy, fue formada por la Tradición de la Iglesia. Hubo personas que predicaron el Evangelio antes de que se escribiera el Nuevo Testamento. Comenzó como una tradición oral; la gente se contaba las cosas. Más tarde las autoridades de las primeras comunidades cristianas les dieron un orden a los libros de la Biblia. La Biblia es la Palabra de Dios revelada. A continuación se ofrece información básica acerca de la Biblia.

> **La Biblia es la Palabra de Dios revelada.**

- La Biblia católica está compuesta de 73 libros: 46 libros en el Antiguo Testamento y 27 libros en el Nuevo Testamento.
- El Antiguo Testamento es la historia del pueblo de Israel antes del nacimiento de Jesús. El Antiguo Testamento comienza con el Pentateuco —los cinco primeros libros que cuentan la historia de la relación entre Dios y su pueblo—. Los otros libros incluyen los libros históricos sobre los jueces y reyes. Los libros sapienciales y los proféticos, como Isaías y Jeremías, completan el Antiguo Testamento.
- El Nuevo Testamento es la historia de la experiencia cristiana. Comienza con la vida de Jesucristo relatada en los Evangelios de Mateo, Marcos, Lucas y Juan. Los Hechos de los Apóstoles siguen a continuación y luego están las cartas, también conocidas como Epístolas. El Nuevo Testamento termina con el libro del Apocalipsis.

¡Vívelo!

Ojea una Biblia y lee un pasaje de las Sagradas Escrituras. Después de leer, escribe la cita y describe lo que pensaste sobre ese pasaje.

_____

_____

Piensa y escribe

Las Sagradas Escrituras y la Tradición están vinculadas. Rellena cada enlace con un ejemplo que conozcas acerca de las Sagradas Escrituras y la Tradición.

Sagradas Escrituras	Tradición
_____	_____
_____	_____

Which Came First—Scripture or Tradition?

The Bible, as we know it today, was formed by Church Tradition. People preached the Gospel before the New Testament was written. It began as oral tradition, people telling one another. Later, the leaders of the early Church put the books of the Bible in order. The Bible is the revealed Word of God. Here is some basic information about the Bible.

> **The Bible is the revealed Word of God.**

- The Catholic Bible is made up of 73 books: 46 books in the Old Testament and 27 books in the New Testament.
- The Old Testament is the story of the people of Israel before the birth of Jesus. The Old Testament begins with the Pentateuch—the first five books that tell the story of the relationship between God and his people. The other books include historical books about judges and kings. The Wisdom books and books about the prophets like Isaiah and Jeremiah complete the Old Testament.
- The New Testament is the story of the Christian experience. It begins with the life of Jesus Christ told in the Gospels of Matthew, Mark, Luke, and John. The Acts of the Apostles comes next and is followed by letters, known as the Epistles. The New Testament ends with the Book of Revelation.

Live It!

Explore a Bible and read one Scripture passage. After reading, write the citation and describe what you thought about the passage.

_____

_____

Think and Write

Scripture and Tradition are linked together. Fill in each link with one example you know about Scripture and Tradition.

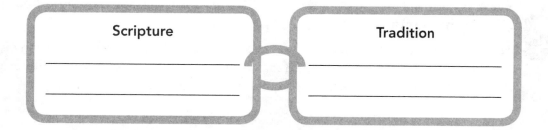

Scripture

_____

_____

Tradition

_____

_____

¿Cómo interpretamos la Biblia los católicos?

Los católicos creemos que todo lo que hay en la Biblia es verdad, pero no necesariamente es un hecho. Esto indica que la verdad y los hechos no son siempre lo mismo. Podemos decir que está "lloviendo a cántaros" para expresar una verdad sin usar un hecho. Esto se llama lenguaje figurativo. Puede ser cierto que esté lloviendo mucho, pero el hecho es que realmente no está lloviendo a cántaros. Hay partes de la Biblia en que se utiliza lenguaje figurativo para mostrar la verdad de Dios, como en las parábolas.

La Tradición y la toma de decisiones

Cuando los católicos buscamos guía en la Palabra de Dios, podemos recurrir a la Biblia. También podemos observar la Tradición de la Iglesia. El Magisterio, es decir, la autoridad magisterial de la Iglesia, nos permite ver lo que la Iglesia ha transmitido a través de las enseñanzas de nuestros obispos y papas con la guía del Espíritu Santo. El Magisterio incluye los escritos de los concilios, las cartas de los papas y los obispos y el *Catecismo de la Iglesia Católica*.

 Piensa y escribe

Piensa en una decisión difícil que tengas que tomar. ¿Cómo puedes usar las Sagradas Escrituras y la Tradición (las enseñanzas de la Iglesia) para que te ayuden a decidir qué hacer?

_____

_____

_____

_____

_____

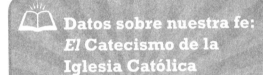 **Datos sobre nuestra fe:** *El* **Catecismo de la Iglesia Católica**

El *Catesismo de la Iglesia Católica* es un libro que nos ayuda a entender mejor lo que creemos. Está organizado en cuatro partes que reflejan los cuatro pilares de nuestra fe: Credo, sacramentos, vida moral y oración.

 ¿Y qué importa esto?

¿Por qué es importante que los católicos creamos que las fuentes de la Revelación de Dios son las Sagradas Escrituras y la Tradición? Por medio de las Sagradas Escrituras y de la Tradición experimentamos la presencia de Dios y la guía del Espíritu Santo.

How Do Catholics Understand the Bible?

Catholics believe that everything in the Bible is true, but not necessarily fact. This points out that truth and fact are not always the same things. We can say that it is "raining cats and dogs" to tell a truth without using facts. We call this figurative language. It may be true that it is raining hard, but the fact is that it is not raining cats and dogs. There are parts of the Bible that rely on figurative language to show God's truth, such as in the parables.

Tradition and Decision Making

When Catholics are seeking guidance from God's Word, we can turn to the Bible. We also can look to Church Tradition. The Magisterium, the teaching authority of the Church, lets us look to what the Church, under the guidance of the Holy Spirit, has taught through teachings from our bishops and popes. The Magisterium includes writings from councils, letters from popes and the bishops, and the *Catechism of the Catholic Church*.

 Think and Write

Think about a difficult decision you have to make. How might you use Scripture and Tradition (the teachings of the Church) to help you decide what to do?

_____

_____

_____

_____

_____

 Facts of Our Faith: Catechism of the Catholic Church

The *Catechism of the Catholic Church* is a book to help us better understand more of what we believe. It is organized into four parts that mirror the four pillars of our faith: creed, sacraments, moral life, and prayer.

 So What?

So what difference does it make that Catholics believe that the sources of God's Revelation are Scripture and Tradition? Through Scripture and Tradition, we experience God's presence and the guidance of the Holy Spirit.

Repaso

Sagradas Escrituras

Sé fiel a lo que aprendiste y aceptaste con fe, pues sabes de quién lo aprendiste. Desde niño conoces las Sagradas Escrituras, que pueden darte sabiduría para salvarte por la fe en Jesucristo. Todas las Escrituras están inspirada por Dios y son útiles para enseñar y encaminar, para que el hombre de Dios pueda hacer toda clase de obras buenas.

(adaptado de 2 Timoteo 3:14–17)

Oración

Espíritu Santo, guíanos para ver al Dios vivo, revelado en las Sagradas Escrituras y la Tradición. Ayúdanos a recibir la Palabra de Dios y a ser alimentados por ella, para que podamos transmitirla a los demás. Amén.

Ideas principales del capítulo

- Dios se revela ante nosotros a través de las Sagradas Escrituras y la Tradición.
- El Magisterio es la función de la Iglesia de enseñar, lo cual nos ayuda a entender la Tradición.
- Cuando tenemos que tomar decisiones, podemos buscar ayuda en la Palabra escrita de Dios (las Sagradas Escrituras) y en la Tradición viva.

Palabras a memorizar

Magisterio   Sagradas Escrituras   Tradición

Responde

Escribe un ejemplo de tradición y uno de Tradición.

_____

_____

En casa

Comenta la siguiente pregunta con un adulto. Escribe tu respuesta.

Piensa en un problema del mundo de hoy. ¿Cómo podemos usar las Sagradas Escrituras y la Tradición para que nos ayuden a encontrarle solución a ese problema?

_____

_____

_____

Review

Scripture

Be faithful to what you have learned and believed, because you know from whom you learned it. Since you were born you have known the sacred scriptures, which can give you wisdom for salvation through faith in Christ Jesus. All scripture is inspired by God and is useful for teaching and correcting, so that one who belongs to God may be able to do good work.

(adapted from 2 Timothy 3:14–17)

Prayer

Holy Spirit, guide us to see the Living God, revealed to us in Scripture and Tradition. Help us to receive God's Word and to be fed by it so that we may pass it along to others. Amen.

Chapter Highlights

- God reveals himself to us through both Scripture and Tradition.
- The Magisterium is the teaching office of the Church and helps us understand Tradition.
- When we have decisions to make, we can look for help from God's written Word and a living Tradition.

Terms to Remember

Magisterium   **Scripture**   **Tradition**

React

Write an example of tradition and Tradition.

_____

_____

At Home

Discuss this question with a grown-up. Write your answer.

Think of a problem in the world today. How can we use Scripture and Tradition to help find a way to solve this problem?

_____

_____

_____

CAPÍTULO 4

La Santísima Trinidad

 ¿Qué ves cuando te miras en el espejo? ¿Tienes la nariz de tu papá? ¿Tienes los ojos de tu abuela? La gente adivina que pertenecemos a nuestra familia por el parecido que tenemos con ella; nuestro aspecto o nuestra manera de actuar son como los de otras personas de nuestra familia. Además de ser parte de la familia de nuestro hogar, también pertenecemos a nuestra familia de la fe católica. Y así como podemos parecernos a la familia de nuestro hogar, también nos parecemos a Dios nuestro Padre, no en nuestro aspecto, sino en la manera de actuar.

El primer libro de la Biblia, el libro de Génesis, nos dice que Dios nos creó, hombre y mujer, a su imagen divina. Ser creados a imagen de Dios significa que tenemos características, o rasgos, de personalidad que son divinos. ¿Cuál es entonces nuestra imagen divina? ¿En qué nos "parecemos" a Dios?

CHAPTER 4

The Trinity

What do you see when you look in the mirror?

Do you have your father's nose? Do you have your grandmother's eyes? People can tell that we are part of our family by the way we resemble our family—the way we look or the way we act is like someone else in our family. Besides being part of our family at home, we also belong to our Catholic faith family. And just like we may resemble our family at home, we can resemble God our Father—not in how we look but in how we act.

In the first book of the Bible, the Book of Genesis tells us that God created us, male and female, in the divine image. Being created in the image of God means that we have characteristics or personality traits that are god-like. So what is our image, or picture, of God? How do we "resemble" God?

Te pareces a. . .

¿Qué sientes cuando alguien que conoce a tu familia te dice: "eres un Smith" o "eres un Rodríguez"? Es bueno que nos sintamos orgullosos de ser parte de nuestra familia. Además de nuestra familia del hogar, estamos relacionados con nuestra familia de la fe católica. También estamos asociados con otro nombre: la Trinidad. El Credo, el primer pilar de nuestra fe, dice que creemos en Dios que es Padre, Hijo y Espíritu Santo. Esto quiere decir que la imagen que los cristianos tenemos de Dios es la de un solo Dios en tres Personas. Esto se conoce como la **Trinidad**.

Cuando somos bautizados, el sacerdote nos bendice con las palabras "En el nombre del Padre y del Hijo y del Espíritu Santo". Cuando hacemos la Señal de la Cruz, recordamos la Trinidad. En esta oración le rezamos a Dios nuestro Padre, que crea todas las cosas porque nos ama. Le rezamos al Hijo, Jesús, que vino a hablarnos del amor del Padre y a salvarnos. Le rezamos al Espíritu Santo, que nos ayuda a comprender lo mucho que Dios nos ama y nos ayuda a mostrarles a los demás el amor de Dios. La Trinidad es como si fuera nuestro apellido.

 Datos sobre nuestra fe:
La Señal de la Cruz

En la Confirmación el obispo nos sella con la Señal de la Cruz en la frente con el santo crisma. Cada vez que hacemos la Señal de la Cruz, podemos recordar este sello. Este sello destaca nuestra creencia en la Trinidad. El uso del agua bendita cuando hacemos este signo nos recuerda nuestro Bautismo. La Señal de la Cruz es un signo visible de lo que creemos.

Creemos en Dios que es Padre, Hijo y Espíritu Santo.

 Piensa y escribe

Piensa en algunos rasgos de personalidad que podrían describir a Dios —Padre, Hijo y Espíritu Santo—. Describe con palabras la imagen que tienes de Dios.

La imagen que tengo de Dios es:

_____

_____

_____

_____

You Look Familiar...

How do you feel when someone who knows your family says "You must be a Smith" or "You must be a Rodriguez"? It is good to feel proud of being part of our family. Besides our families at home, we are connected to our Catholic faith family. We are also associated with another name—the Trinity. The Creed, the first pillar of our faith, says that we believe in God who is Father, Son, and Holy Spirit. What this means is that the Christian image of God is seen as one God in three Persons. This is called the **Trinity**.

When we are baptized, the priest blesses us with the words "In the name of the Father, and of the Son, and of the Holy Spirit." When we pray the Sign of the Cross, we are reminded of the Trinity. In this prayer, we pray to God our Father, who creates all things because he loves us. We pray to the Son, Jesus, who came to tell us of the Father's love and to save us. We pray to the Holy Spirit who helps us to understand how much God loves us and to help us show God's love to others. The Trinity is like our family name.

Facts of Our Faith: *The Sign of the Cross*

At Confirmation, the bishop seals us with the Sign of the Cross on our foreheads with holy Chrism. Each time we pray the Sign of the Cross, we can recall this seal. It stresses our belief in the Trinity. The use of holy water when we make this sign recalls our Baptism. The Sign of the Cross is a visible sign of what we believe.

We believe in God who is Father, Son, and Holy Spirit.

Think and Write

Think about some personality traits that might describe God—the Father, Son, and Holy Spirit. Use words to describe your image of God.

My image of God is:

_____

_____

_____

_____

_____

¡Vívelo!

Elije uno de los rasgos que usaste para describir la imagen que tienes de Dios. ¿Cómo puedes usar este rasgo para mostrarles a los demás que has sido creado a imagen de Dios?

_____

_____

_____

_____

La Santísima Trinidad es un misterio

¿Qué tienen en común las mariposas que salen de sus crisálidas y las estrellas fugaces en el cielo? Son un misterio para nosotros. Podemos ver estos misterios, pero tal vez no acabamos de comprender cómo se producen. En la fe el misterio es algo que conocemos, o en lo que creemos, incluso si no acabamos de entenderlo. La Trinidad es un misterio. Sabemos en nuestros corazones que Dios es Padre, Hijo y Espíritu Santo, quien nos llama a un amor más profundo que podemos compartir entre nosotros.

Cuando reflexionamos sobre Dios como Padre, Hijo y Espíritu Santo, reconocemos que Dios es una comunidad de amor. Dios no se guarda ese amor, sino que lo comparte con todos nosotros. Es por eso que el amor al prójimo es tan importante en el cristianismo. Nosotros reflejamos la imagen de Dios al amar a nuestro prójimo. El amor a los demás no es solo un rasgo de Dios, sino el corazón mismo de Dios.

> Cuando reflexionamos sobre Dios como Padre, Hijo y Espíritu Santo, reconocemos que Dios es una comunidad de amor.

¿Qué significa todo esto? Significa que la Trinidad —Padre, Hijo y Espíritu Santo en una relación amorosa— es la imagen más perfecta de Dios y es la manera en la que Dios está presente y activo en el mundo. Puesto que estamos hechos a imagen y semejanza de Dios y hemos sido bautizados en el nombre del Padre, del Hijo y del Espíritu Santo, debemos tener en una relación amorosa entre nosotros y con Dios.

Live It!

Choose one of the traits you used to describe your image of God. How can you use this trait to show others that you are made in the image of God?

_____

_____

_____

_____

The Trinity Is a Mystery

What do butterflies emerging from their chrysalis and stars that shoot across the sky have in common? They're mysterious to us. We can see these mysteries, but we may not fully know how they happen. In faith, mystery is something that can be known, or believed in, even if we don't fully understand it. The Trinity is a mystery. We can know in our hearts that God is the Father, Son, and Holy Spirit who calls us to a deeper love that we can share with one another.

When we reflect on God as Father, Son, and Holy Spirit, we recognize that God is a community of love. God does not keep this love, but shares it with all of us. This is why love of neighbor is so important in Christianity. We reflect the image of God when we love our neighbors. Love for others is not just a trait of God's, but is the very heart of God.

> When we reflect on God as Father, Son, and Holy Spirit, we recognize that God is a community of love.

What does this all mean? It means that the Trinity—the Father, Son, and Holy Spirit in a loving relationship—is the most perfect image of who God is and how God is present and active in the world. Because we are made in the image and likeness of God and baptized in the name of the Father, Son, and Holy Spirit, we are to be in a loving relationship with one another and with God.

La Iglesia como comunidad

¿Qué significa para ti *comunidad*? ¿Qué te imaginas cuando escuchas esa palabra?

Una **comunidad** es un grupo de personas que viven juntas o que se reúnen por un interés común. Se basa en una relación con los demás. Tu vecindario es una comunidad. La liga de béisbol es una comunidad. El club de reciclaje de la escuela es una comunidad.

La Iglesia es la comunidad de Dios. Como miembros de esta comunidad, Dios nos pide que ayudemos a otros a verlo a él presente y activo en nuestra vida cotidiana. Cuando vas a misa, ves a los miembros de la parroquia rezando y cantando juntos como comunidad. El sacerdote, los ujieres, los lectores y los músicos de la Iglesia trabajan juntos para ayudar a celebrar la misa. La comunidad de la Iglesia también trabaja en conjunto para ayudar a los necesitados, como en la recolección de alimentos enlatados para los desamparados o hambrientos. Juntos trabajamos para servir a los demás como lo hizo Jesús. Estamos llamados a estar en comunión, en relación, con el mundo que nos rodea. A través de nuestras palabras y acciones les mostramos a los demás cómo participamos en la vida de la Trinidad.

Como parte de esta comunidad de la Iglesia, estamos llamados a hablar en contra de lo que impida a las personas vivir en una relación de amor entre ellas. Una forma de hacerlo es aceptando a todos nuestros compañeros como iguales. Otra forma es ayudando con una colecta de alimentos en la escuela. Estas acciones ayudan a los demás a ver la Trinidad en acción.

> A través de nuestras palabras y acciones mostramos a los demás cómo participamos en la vida de la Trinidad.

Esto honra nuestro apellido. Somos parte de una comunidad que se basa en esa relación de amor. Cuando somos bautizados en el nombre del Padre, del Hijo y del Espíritu Santo, Dios nos llama a vivir la vida en unidad, o **solidaridad**, con los demás. Nosotros reflejamos la imagen de la Trinidad: comunión y amor.

Creemos que la Trinidad es una relación. Dios Padre, Creador de todas las cosas, nos ama; Dios Hijo, Jesús, nos ha salvado de nuestros pecados y nos ama; y Dios Espíritu Santo nos ama, nos bendice y nos apoya. Si sabes que Dios te ama, entonces *conoces* la Trinidad.

The Church as Community

What does *community* mean to you? What do you picture when you hear the word?

A **community** is a group of people living together or gathering together because of a similar interest. It's a relationship with others. Your neighborhood is a community. The baseball league is a community. A recycling club at school is a community.

The Church is God's community. As a member of this community, God asks us to help others see him present and active in our daily lives. When you go to Mass, you will see parish members praying and singing together as one community. The priest, ushers, lectors, and musicians at church work together to help celebrate Mass. The Church community also works together to help others in need, such as collecting canned goods for those who are homeless or hungry. Together we work to serve others as Jesus did. We are called to be in communion, in relationship, with the world around us. We show others how we participate in the life of the Trinity through our words and actions.

As part of this Church community, we are called to speak out against things that prevent people from living in loving relationships with one another. One way to do this is by accepting all our classmates as equals. Another way is helping out with a food drive at school. These actions help others see the Trinity at work. This honors our family name. We are part of a community based on that loving relationship. When we are baptized in the name of the Father, Son, and Holy Spirit, God calls us to live life in unity, or **solidarity,** with others. We reflect the image of the Trinity—communion and love.

> **We show others how we participate in the life of the Trinity through our words and actions.**

We believe in the Trinity as a relationship. God the Father, the Creator of all things loves us; God the Son, Jesus, saved us from our sins and loves us; and God the Holy Spirit loves us, blesses us, and supports us. If you know you are loved by God, then you *know* the Trinity.

Piensa y escribe

Menciona dos comunidades a las que perteneces. Escribe una frase que describa los intereses o las metas de cada una de estas comunidades. Luego di por qué cada comunidad podría ser un ejemplo del amor de Dios.

_____

_____

_____

_____

¡Vívelo!

Cada vez que ofrecemos nuestro amor a los demás, participamos en la vida de la Santísima Trinidad. Escribe un ejemplo de este amor que veas en tu comunidad parroquial.

_____

_____

_____

_____

¿Y qué importa esto?

¿Por qué es importante que los católicos creamos en la Santísima Trinidad? Porque significa que creemos que Dios tiene una relación de amor con nosotros y, puesto que hemos sido creados a imagen de Dios, está en nuestra naturaleza vivir en una relación de amor con los demás. Vivir en una relación de amor con los demás es compartir la vida divina de la Trinidad. También significa que tenemos un nombre al cual estar a la altura, así como debemos estar a la altura del apellido de nuestra familia. Dado que somos bautizados en el nombre del Padre y del Hijo y del Espíritu Santo, tenemos que vivir de acuerdo con el nombre de Dios —la Santísima Trinidad—.

Datos sobre nuestra fe: _La solidaridad_

El amor de la Santísima Trinidad por nosotros es el modelo del amor entre nosotros. Dios nos llama a ser solidarios con todo el mundo. La solidaridad significa que podemos ver que todos somos parte de la misma familia humana, sin importar en qué país vivamos, de qué raza seamos o qué religión practiquemos. El Evangelio nos llama a ser constructores de paz. Estamos llamados a amar a nuestro prójimo y a promover la paz ante los problemas de nuestro mundo.

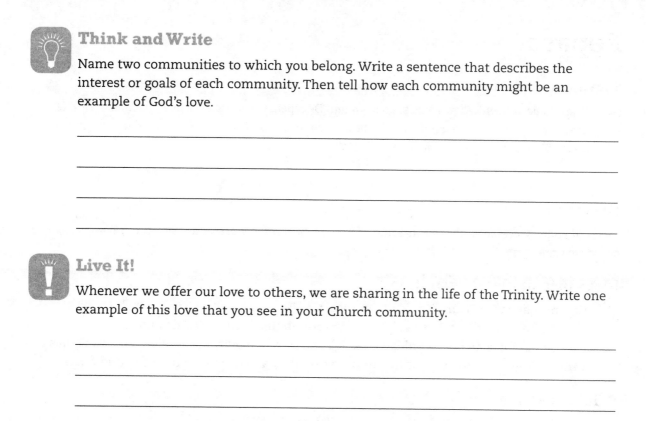

Think and Write

Name two communities to which you belong. Write a sentence that describes the interest or goals of each community. Then tell how each community might be an example of God's love.

_____

_____

_____

_____

Live It!

Whenever we offer our love to others, we are sharing in the life of the Trinity. Write one example of this love that you see in your Church community.

_____

_____

_____

_____

So What?

So what difference does it make that Catholics believe in the Trinity? It means that we believe that God is in loving relationship with us, and, because we are made in the image of God, it is our nature to live in loving relationship with one another. To live in loving relationship with others is to share in the divine life of the Trinity. This also means that we have a name to live up to, just like we have to live up to our family name. Since we are baptized in the name of the Father, and of the Son, and of the Holy Spirit, we need to live up to the name of God—the Holy Trinity.

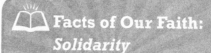

Facts of Our Faith: *Solidarity*

The Trinity's love for us is the model of our love for one another. God calls us to be in solidarity with all people. Solidarity means that we see that we are all part of the same human family no matter what country we live in, what race we are, or what religion we practice. The Gospel calls us to be peacemakers. We are called to love our neighbors and promote peace in the face of the problems in our world.

Repaso

Sagradas Escrituras

Después de ser bautizado, Jesús salió del agua. De repente se abrió el cielo. Él vio al Espíritu de Dios que bajaba como una paloma y se posaba sobre él. Desde el cielo se escuchó una voz que decía: "Éste es mi Hijo querido, mi predilecto".

(adaptado de Mateo 3:16–17)

Oración

Gloria al Padre, y al Hijo, y al Espíritu Santo. Como era en el principio, ahora y siempre, y por los siglos de los siglos. Amén.

Ideas principales del capítulo

- Creemos en la Santísima Trinidad: un Dios, tres Personas.
- Dios Padre, Dios Hijo y Dios Espíritu Santo forman una comunidad de amor.
- Como miembros de la comunidad de la Iglesia, Dios nos pide que ayudemos a los demás a verlo a él —Padre, Hijo y Espíritu Santo— presente y activo en nuestra vida cotidiana.

Palabras a memorizar

comunidad   **solidaridad**   **Trinidad**

Responde

¿Cómo puedes reconocer a cada Persona de la Trinidad en acción en tu propia vida?

_____

_____

En casa

Comenta las siguientes preguntas con un adulto. Escribe tus respuestas.

¿Qué podemos hacer para mostrar a las personas que viven en la pobreza que somos solidarios con ellas? ¿Por qué crees que Dios nos llama a vivir en solidaridad unos con otros?

_____

_____

_____

Review

Scripture

After Jesus was baptized, he came up from the water. Suddenly the heavens were opened. He saw the Spirit of God descending like a dove and coming upon him. A voice came from the heavens, saying, "This is my beloved Son, with whom I am well pleased."

(adapted from Matthew 3:16–17)

Prayer

Glory be to the Father, and to the Son, and to the Holy Spirit, as it was in the beginning, is now and ever shall be, world without end. Amen.

Chapter Highlights

- We believe in the Trinity—one God, three Persons.
- God the Father, God the Son, and God the Holy Spirit is a community of love.
- As members of the Church community, God asks us to help others see him—Father, Son, and Holy Spirit—present and active in our daily lives.

Terms to Remember

community   solidarity   Trinity

React

How do you recognize each Person of the Trinity working in your own life?

_____

_____

At Home

Discuss these questions with a grown-up. Write your answer.

What can we do to show people who are living in poverty that we are in solidarity with them? Why do you think God calls us to live in solidarity with one another?

_____

_____

_____

CAPÍTULO 5

El pecado, la Salvación y la cruz de Jesús

 ¿Qué tienen en común los libros como *La telaraña de Carlota* y *Fiel amigo* con películas como *Up* y *Los Increíbles*? Además de ser interesantes, el miedo y la muerte son una parte importante de sus temas. El miedo es una emoción humana normal. La Biblia habla de los miedos de la gente, como el miedo a la muerte. Como católicos, sabemos que Jesucristo venció la muerte. Jesús nos da una vida nueva a través de su Resurrección y Ascensión. Nuestra nueva vida comienza en el Bautismo, cuando recibimos una nueva vida a través de Jesucristo. Ahora somos parte de la comunidad de amor de Jesús y estamos llamados a compartir esta nueva vida con los demás.

CHAPTER 5

Sin, Salvation, and the Cross of Jesus

 What do books such as *Charlotte's Web* and *Old Yeller* have in common with movies such as *Up* and *The Incredibles*? Besides being interesting, fear and death are important parts of their themes. Fear is a normal human emotion. The Bible talks about people's fears, such as the fear of death. As Catholics, we know that Jesus Christ conquered death. Jesus gives us new life through his Resurrection and Ascension. Our new life begins at Baptism when we are given new life through Jesus Christ. We are now part of Jesus' community of love and are called to share this new life with others.

Una decisión que lo cambió todo

¿Has oído hablar de Adán y Eva? La historia del libro de Génesis nos dice que Dios les dio a Adán y a Eva un hermoso jardín donde vivir y un regalo especial. Les dijo que podían comer de cualquier árbol del jardín, excepto de uno. Les dio la capacidad de elegir entre el bien y el mal. Esa capacidad se llama **libre voluntad**. Dios quería que Adán y Eva eligieran el amor y la vida con él. En su lugar, Adán y Eva escogieron comer del fruto del árbol prohibido. Esta decisión trajo una especie de oscuridad y muerte en el mundo. La gente tendría miedo y seguiría tomando decisiones que los separaría de Dios. A veces tomamos decisiones que ofenden a Dios. Al tomar estas decisiones, cometemos **pecado**.

¡Vívelo!

Piensa en una situación en la que alguien que conoces está tomando una decisión equivocada. ¿Cómo animarías a esa persona a elegir hacer lo correcto?

_____

_____

_____

Datos sobre nuestra fe: *El pecado original*

Adán y Eva representan a todas las personas. Es por el pecado original que los seres humanos tenemos la tendencia a elegir lo que queremos en lugar de seguir la voluntad de Dios. En el Bautismo se nos purifica del pecado original. Es porque Jesús se hizo hombre, murió, resucitó y ascendió al Cielo. La muerte y la Resurrección de Jesús nos salvan del pecado y nos dan una vida nueva.

Jesús nos salva

Cuando Jesús se hizo hombre, se hizo igual que nosotros. Tenía esperanzas, sueños y temores. Al igual que nosotros, Jesús se enfrentó a la tentación. A diferencia de nosotros, Jesús nunca cedió ante la tentación. Él no cometió ningún pecado. Jesús se enfrentó al sufrimiento y a la muerte. Él fue una víctima inocente. Fue crucificado para que muriera en público. Fue tratado como un criminal. Sin embargo, Jesús no perdió su batalla contra el pecado y la muerte. Dios resucitó a Jesús de entre los muertos. Jesús, a través de su **Resurrección**, venció la muerte y el pecado. Ahora sabemos que la muerte no es el fin. Somos salvados porque ni siquiera la muerte podrá separarnos del amor de Jesucristo.

A Choice That Changed Everything

Have you heard about Adam and Eve? The story in the Book of Genesis tells us that God gave Adam and Eve a beautiful garden to live in and a special gift. He told them they could eat from any tree in the garden except one. He gave them the ability to choose between right and wrong. That ability is called **free will**. God wanted Adam and Eve to choose love and life with him. Instead, Adam and Eve chose to eat the fruit from the forbidden tree. This choice brought a kind of darkness and death into the world. People would become fearful and continue to make choices that separated them from God. Sometimes we make choices that offend God. When we make these choices, we **sin**.

 Live It!

Think about a situation in which someone you know might be making a bad choice. How would you encourage that person to choose to do what is right?

_____

_____

_____

 **Facts of Our Faith:**
Original Sin

Adam and Eve represent all people. Because of Original Sin, humans choose to follow what we want instead of following God's will. In Baptism, Original Sin is "washed away." This is because Jesus became man, died, rose, and ascended into Heaven. Jesus' Death and Resurrection save us from sin and give us new life.

Jesus Saves Us

When Jesus became man, he became just like us. He had hopes, dreams, and fears. Like us, Jesus faced temptation. Unlike us, Jesus never gave in to temptation. He did not sin. Jesus faced suffering and death. He was an innocent victim. He was put on a cross to die in public. He was treated like a criminal. However, Jesus did not lose his battle with sin and death. God raised Jesus up from the dead. Jesus, through his **Resurrection,** overcame death and sin. We know now that death is not the end. We are saved because even death cannot separate us from the love of Jesus Christ.

35

CAPÍTULO 5
El pecado, la Salvación y
la cruz de Jesús

PUENTES DE LA FE: PARTE 1

La vida, muerte y Resurrección de Jesús se resumen en un párrafo del Credo de Nicea. Rezamos:

[. . .] que por nosotros, los hombres,
y por nuestra salvación bajó del cielo,
y por obra del Espíritu Santo
se encarnó de María, la Virgen, y se hizo hombre;
y por nuestra causa fue crucificado
en tiempos de Poncio Pilato;
padeció y fue sepultado,
y resucitó al tercer día, según las Escrituras [. . .].

Como seguidores de Jesús que hemos sido bautizados, continuamos enfrentando el pecado y la tentación, el sufrimiento y la muerte. Pero sabemos que mediante Jesús podemos superar todas estas cosas.

 Piensa y escribe

Piensa en lo que sabes sobre la vida, muerte y Resurrección de Jesús. Escribe lo que sabes bajo cada encabezado de la tabla.

Jesús vivió	Jesús murió	Jesús resucitó

Jesus's life, Death, and Resurrection are summed up in a section of the Nicene Creed. We pray:

For us men and for our salvation
he came down from heaven,
and by the Holy Spirit was incarnate of the Virgin Mary,
and became man.

For our sake he was crucified under Pontius Pilate,
he suffered death and was buried,
and rose again on the third day
in accordance with the Scriptures.

As baptized followers of Jesus, we still face sin and temptation, suffering, and death. But, through Jesus, we know that we can overcome all of these things.

 Think and Write

Think about what you know about the life, Death, and Resurrection of Jesus. Write what you know under each heading in the chart.

Jesus Lived	Jesus Died	Jesus Rose

36

CAPÍTULO 5
El pecado, la Salvación y
la cruz de Jesús

PUENTES DE LA FE: PARTE 1

La cruz: nuestro trofeo

Los trofeos son signos de ciertos éxitos. Podemos ganar trofeos en un partido de baloncesto, un concurso de ortografía o una feria de ciencias. Los trofeos son signos de victoria. Podemos mirar la cruz como un signo de victoria. Así como el equipo ganador marcha en un desfile levantando el trofeo a la vista de todos, nosotros los católicos también marchamos en desfiles. Los llamamos procesiones. A la cabeza de las procesiones está la cruz de Jesús, levantada a la vista de todos. El mensaje es fuerte y claro: si Jesús puede vencer el sufrimiento y la muerte, entonces nosotros, a través del Bautismo, podemos vencer cualquier cosa.

La cruz y los desafíos

Las personas de fe —quienes son capaces de ver que Dios puede vencer, y vencerá, por encima de todo— necesitan compartir este conocimiento con quienes están tristes o sufriendo. Es por eso que, como católicos, visitamos a los enfermos, los ancianos, los que están solos y otras personas que necesiten amor y cuidado. No tratamos de convencerlos de la presencia de Dios ni tratamos de ignorar su dolor o sufrimiento. Les mostramos a través de nuestra presencia amorosa la atención continua de Dios hacia ellos.

> **El mensaje es fuerte y claro: si Jesús puede vencer el sufrimiento y la muerte, entonces nosotros, a través del Bautismo, podemos vencer cualquier cosa.**

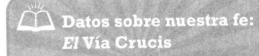

Datos sobre nuestra fe: *El* Vía Crucis

Una de nuestras tradiciones religiosas es recordar la muerte y Resurrección de Jesús con el *Vía Crucis*, o Estaciones de la Cruz. Rezar el *Vía Crucis* nos ayuda a expresar nuestro amor por Dios. En muchas iglesias hay cruces o ilustraciones que muestran cada estación. Hay 14 estaciones que representan los acontecimientos de la Pasión y muerte de Jesús. Algunas versiones incluyen una estación más, la número 15, que muestra la Resurrección. Usamos nuestra imaginación para reflexionar en la Pasión, muerte y Resurrección de Jesús. Hay muchas maneras diferentes de representar el *Vía Crucis*, pero todas nos recuerdan lo que Jesús hizo por nosotros. Vas a aprender más sobre el *Vía Crucis* en la página 137.

The Cross—Our Trophy

Trophies are signs for certain accomplishments. We may get trophies for winning a basketball game, spelling bee, or science fair. Trophies are signs of victories. We can look at the cross as a sign of victory. Just as a winning team marches in a parade, lifting up the trophy for all to see, we Catholics march in parades. We call them processions. Processions are led by the Cross of Jesus, lifted up for all to see. The message is loud and clear: if Jesus can overcome suffering and death, then we, through Baptism, can overcome anything.

The Cross and Challenges

People of faith—people who can see that God can and will win over everything—need to share this knowledge with those who are sad or suffering. This is why we, as Catholics, visit those who are sick, elderly, lonely, and others who are in need of love and care. We do not try to convince them of God's presence, or to ignore their pain and suffering. We show God's continuing care for them through our loving presence.

> The message is loud and clear: if Jesus can overcome suffering and death, then we, through Baptism, can overcome anything.

Facts of Our Faith: *Stations of the Cross*

One of our faith traditions is to recall the Death and Resurrection of Jesus, using Stations of the Cross. Praying them helps us to express our love for God. Many churches have crosses or illustrations to show each station. There are 14 stations that represent events from Jesus' Passion and Death. Some versions include a 15th station showing the Resurrection. We use our imagination to reflect on Jesus' suffering, Death, and Resurrection. There are many different ways the Stations of the Cross are depicted, but they all remind us of what Jesus did for us. Learn more about the stations on page 137.

37 **CAPÍTULO 5**
**El pecado, la Salvación y
la cruz de Jesús**

PUENTES DE LA FE: PARTE 1

¡Vívelo!

Piensa en una persona que pueda estar triste o que esté sufriendo de una enfermedad. Di cómo a través de tus acciones puedes mostrar el amor de Dios por esa persona.

_____

_____

_____

_____

El don de la Salvación

¿Dónde y con quién te sientes seguro? La mayoría de nosotros nos sentimos seguros con nuestros padres y otros miembros de nuestra familia. Nos sentimos seguros en nuestro hogar o en otros lugares conocidos. Con Jesús estamos siempre a salvo. A través de Jesús hemos sido salvados. Como hemos sido salvados, compartimos en la vida eterna. Ya no vemos la muerte como el fin, sino como un cambio. La **Salvación** en Jesucristo es un regalo, un don. La única manera de experimentar la Salvación es conociendo la Pasión, muerte y Resurrección de Jesús. Esto significa que siempre tratamos de evitar el pecado y de vivir como verdaderos seguidores de Jesús. Hacemos obras buenas como una respuesta a este gran don. Tener fe en Jesús nos da un futuro y una vida nueva.

> **Con Jesús estamos siempre a salvo.**

Piensa y escribe

Piensa en lo que Jesús hizo por ti al morir en la cruz. Escríbele una nota a Jesús para agradecerle por este don de la Salvación.

_____

_____

_____

¿Y qué importa esto?

¿Por qué es importante que los católicos creamos en la cruz de Jesús? Porque el hecho de que Jesús haya vencido la muerte es la fuente de toda nuestra esperanza. No tenemos nada que temer porque nada, ni siquiera la muerte, puede separarnos del mejor don de todos: el amor de Dios en Jesucristo.

Live It!

Think about one person who may be sad or is suffering from an illness. Tell how you can show God's love for that person through your actions.

_____

_____

_____

_____

The Gift of Salvation

Where and with whom do you feel safe? Most of us feel safe with our parents and other family members. We feel safe at home or in other familiar places. With Jesus, we are always safe. Through Jesus, we are saved. Because we are saved, we share in eternal life. We no longer see death as the end, but as a change. **Salvation** in Jesus is a gift. The only way to experience Salvation is to know the suffering, Death, and Resurrection of Jesus. This means that we always try to avoid sin and to live as a true follower of Jesus'. We do good works in response to this great gift. Having faith in Jesus gives us a future and a new life.

> **With Jesus, we are always safe.**

 Think and Write

Think about what Jesus did for you by dying on the cross. Write a note to thank Jesus for this gift of Salvation.

_____

_____

_____

So What?

So what difference does it make that Catholics believe in the Cross of Jesus? The fact that Jesus conquered death is the source of all of our hope. We have nothing to fear because nothing—not even death—can separate us from the greatest gift of all: the love of God in Christ Jesus.

Repaso

Sagradas Escrituras

Estoy seguro que nada nos podrá separar del amor de Dios manifestado en Cristo Jesús Señor nuestro

(adaptado de Romanos 8:38–39)

Oración

Señor, Dios, ayúdame a vivir sin miedo. Ayúdame a comprender que Jesús entiende mis mayores retos y mis más grandes temores. Enséñame a recurrir a él para tomar buenas decisiones en todo lo que haga. Amén.

Ideas principales del capítulo

- Jesús, a través de su Resurrección, ha vencido la muerte y el pecado.
- La Salvación es un don.
- Nada puede separarnos del mayor don de todos: el amor de Dios en Jesucristo.

Palabras a memorizar

libre voluntad   Resurrección   Salvación   pecado

Responde

Escribe un poema que describa la forma en que recibimos vida nueva a través de la vida, muerte y Resurrección de Jesús.

_____

_____

_____

En casa

Comenta la siguiente pregunta con un adulto. Escribe tu respuesta.

¿Por qué crees que la gente le teme a la muerte?

_____

_____

_____

_____

Review

Scripture

I am convinced that nothing can separate us from the love of God in Christ Jesus our Lord.

(adapted from Romans 8:38–39)

Prayer

Lord, God, help me to live without fear. Help me to see that Jesus understands my greatest challenges and my greatest fears. Teach me to turn to him to make good choices in all that I do. Amen.

Chapter Highlights

- Jesus, through his Resurrection, overcame death and sin.
- Salvation is a gift.
- Nothing can separate us from the greatest gift of all: the love of God in Christ Jesus.

Terms to Remember

free will   Resurrection   Salvation   sin

React

Write a poem that describes how we receive new life through the life, Death, and Resurrection of Jesus.

_____

_____

_____

At Home

Discuss this question with a grown-up. Write your answer.

Why do you think people are afraid of death?

_____

_____

_____

_____

CAPÍTULO 6

La Iglesia, la Virgen María, los santos y la eternidad

¿Qué deportes en equipo te gusta jugar? ¿En qué se parecen los equipos de béisbol, baloncesto, fútbol y voleibol? El trabajo en equipo es muy importante. Cada jugador tiene que dar lo mejor de sí para que los demás jugadores puedan contar unos con otros. Ser parte de la comunidad de la Iglesia es igual. Puedes contar con la gente de tu parroquia, con la Virgen María y con los santos para que te ayuden. Y tú debes dar lo mejor de ti para ayudar a otros en tu comunidad parroquial.

CHAPTER 6

The Church, Mary, the Saints, and Eternity

What team sports do you like to play? What is similar about teams for baseball, basketball, soccer, and volleyball? Teamwork is very important. Each player has to do his or her best so that the players can count on one another. Being part of your church community works the same way. You can count on people in your parish, Mary, and the saints to support you. And you should do your best to support others in your church community.

Más que un trozo del pastel

Los clubes unen a la gente. Podríamos pensar que pertenecer a la Iglesia es como pertenecer a un club como el de los *Boy Scouts*, *Girl Scouts* o uno de ajedrez.

> La Iglesia es el Cuerpo vivo de Cristo.

En verdad no es así. Realmente no *pertenecemos* a la Iglesia. La realidad es que nos *convertimos* en Iglesia. La Iglesia no es un club. En un club podemos ser miembros hoy y mañana dejarlo. Esto puede sonar parecido a la Iglesia, pero he aquí la diferencia: la Iglesia es el Cuerpo vivo de Cristo. Al igual que las manos, pies, brazos y piernas son partes del cuerpo, así estamos nosotros unidos en el Cuerpo de Cristo. A través del Bautismo nos unimos a la Iglesia de una manera muy importante. Como Cuerpo de Cristo, estamos unidos unos a otros y a Cristo con todo nuestro corazón, mente y alma. Estamos conectados unos con otros y con Cristo.

 Piensa y escribe

Cada trozo del pastel muestra una actividad diaria. Indica la cantidad de tiempo que crees que pasas en cada una de ellas. ¿Qué aspecto tiene tu pastel? ¿Dónde pasas la mayor parte de tu tiempo? ¿Qué parte del pastel piensas que deberías ocupar en rezar o dar culto?

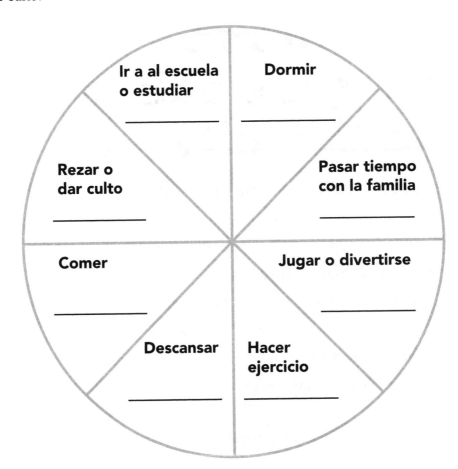

More Than Just a Slice of the Pie

Clubs bring people together. We might think that belonging to the Church can be compared to belonging to a club, like Boy Scouts, Girl Scouts, or the chess club.

> **The Church is the living Body of Christ.**

Not really. We really don't *belong* to the Church. We actually *become* the Church. The Church is not a club. As easily as you join a club, you can quit. This may sound a little like Church, but here's the difference. The Church is the living Body of Christ. Just like our hands, feet, arms, and legs are all part of our body, we are joined to the Body of Christ. Through Baptism, we are joined to the Church in a very important way. As the Body of Christ, we are joined to one another and to Christ with our heart, mind, and soul. We are connected with one another and with Christ.

 Think and Write

Each wedge of the pie shows a daily activity. Fill in the amount of time you think you spend on each one. What does your pie look like? Where do you spend most of your time? How much of your pie do you think should be pray or worship?

Piensa que le prestamos atención a Dios en nuestros pensamientos y acciones. Nuestra vida espiritual no es en absoluto un trozo del pastel. ¡Es todo el pastel! En el Bautismo nos convertimos en Iglesia. Somos parte de la vida divina de Jesús. Esto significa que todo lo que hacemos debe estar conectado con Jesús.

Al igual que una jugadora estrella de un equipo de fútbol podría pensar que ella puede llevar el balón por la cancha y anotar el gol de la victoria por sus propios medios, a veces pensamos que podemos hacer las cosas sin Jesús. Así como a la jugadora de fútbol se le olvida la importancia del trabajo en equipo, a nosotros se nos olvida la importancia del Cuerpo de Cristo y de la Santísima Trinidad. Tenemos que reconocer que Dios está siempre presente en nuestra vida. Como miembros de la Iglesia, honramos a Dios en todas partes y en todo el mundo. El Bautismo no nos hace miembros de un club exclusivo, sino que nos hace miembros del Cuerpo vivo de Cristo.

La corresponsabilidad

Los miembros de una familia pasan tiempo juntos, se enseñan unos a otros las cosas que les gustan, como los deportes, pasatiempos y juegos, y comparten lo que poseen. La Iglesia funciona igual. Cuando compartimos como Iglesia, estamos practicando la corresponsabilidad, es decir, la sabia administración. La **corresponsabilidad** es compartir nuestro tiempo, talento y tesoro. El tesoro es más que el dinero y las posesiones. Es todo lo que valoramos. Una de las claves para ser más espiritual es aprender a reconocer la presencia de Dios en todas las cosas, en todas las personas y en todas las situaciones. Entonces podemos responder a Dios compartiendo nuestro tiempo, talento y tesoro.

> Tenemos que reconocer que Dios está siempre presente en nuestra vida.

¡Vívelo!

Escribe una manera en la que puedes compartir tu tiempo, talento y tesoro.

Tiempo _____

Talento _____

Tesoro _____

Think about paying attention to God in our thoughts and actions. Our spiritual life is not a slice of the pie at all. It is the whole pie! In Baptism, we become the Church. We are part of the divine life of Jesus. This means that everything we do should be connected to Jesus.

Just like a star player on a soccer team might think she can take the ball down the field and score the winning goal on her own, sometimes we think we can do things without Jesus. As the soccer player forgets the importance of teamwork, we forget the importance of the Body of Christ and the Trinity. We need to recognize that God is always present in our lives. As members of the Church, we honor God everywhere and in everyone. Baptism does not make us members of an exclusive club; it makes us members of the living Body of Christ.

Stewardship

Family members spend time together, teach one another about things they like to do, such as sports, hobbies, and games, and share what they own. The Church works the same way. When we share as the Church, we are practicing stewardship. **Stewardship** is

> We need to recognize that God is always present in our lives.

the sharing of our time, talent, and treasure. Treasure is more than money and possessions. It's anything we value. One of the keys to being more spiritual is learning to recognize the presence of God in all things, in all people, and in all situations. Then we can respond to God by sharing our time, talent, and treasure.

 Live It!

Write one way you can share your time, talent, and treasure.

Time _____

_____

Talent _____

_____

Treasure _____

_____

Los atributos de la Iglesia

Todos tenemos características que nos hacen diferentes unos de otros. El color de ojos o del cabello, la habilidad de tocar un instrumento o las pecas, son todas cosas que nos dan nuestra identidad. Hay atributos que ayudan a identificar a la Iglesia. Los **atributos de la Iglesia** son que la Iglesia es una, santa, católica y apostólica.

> . . . la Iglesia es una, santa, católica y apostólica.

una La palabra *una* enfatiza la unidad de la Iglesia de Cristo. La Iglesia es una, al igual que la Santísima Trinidad —Dios Padre, Dios Hijo y Dios Espíritu Santo son uno—.

santa Solo Dios es santo. Esta es una forma simple de decir que Dios es Dios y nosotros no. Como miembros de la Iglesia, estamos llamados a la santidad mostrándoles a los demás el amor de Dios.

católica Católica con C mayúscula se refiere a "La Iglesia Católica Romana". Cuando decimos: "Creo en la Iglesia: una, santa, católica y apostólica", **católica** significa "universal" y usamos una c minúscula. Decimos que la Iglesia de Cristo invita a todo el mundo a pertenecer a ella.

apostólica Sabemos que Dios tiene toda autoridad y que le dio su autoridad a Jesús. También sabemos que Jesús le transmitió su autoridad a la Iglesia a través de San Pedro y los apóstoles. La Iglesia todavía sigue la enseñanza de los apóstoles. El Papa, obispo de Roma, y los obispos, sacerdotes y diáconos dirigen la Iglesia (todas las personas bautizadas) para transmitir las enseñanzas de los apóstoles de generación en generación. Al transmitir las enseñanzas de los apóstoles, la Iglesia es **apostólica**.

Por eso, cuando decimos: "Creo en la Iglesia: una, santa, católica y apostólica", estamos diciendo que creemos en una Iglesia que confía en la Santísima Trinidad, tiene sus raíces y su guía en Dios, está abierta a todos y es fiel a las enseñanzas de los apóstoles. Todo esto hace que la Iglesia sea muy fácil de reconocer.

Datos sobre nuestra fe: *El Pentecostés*

Jesús le dijo a Simón: "Tú eres Pedro y sobre esta piedra edificaré mi Iglesia" (Mateo 16:18). Los Hechos de los Apóstoles 2:1–13 nos cuentan que 50 días después de su Resurrección, y 10 días después de que ascendiera al Cielo, Jesús envió al Espíritu Santo a los apóstoles. Este acontecimiento es conocido como la fiesta de Pentecostés. Podemos pensar en el día de Pentecostés como el cumpleaños de la Iglesia.

The Marks of the Church

We all have characteristics that make us different from one another. Eye or hair color, the ability to play an instrument, and freckles all give us our own special identity. There are marks that help identify the Church. The **Marks of the Church** are that the Church is one, holy, catholic, and apostolic.

> . . . the Church is one, holy, catholic, and apostolic.

one The word *one* points out the unity, or oneness, of Christ's Church. The Church is one just like the Trinity—God the Father, God the Son, and God the Holy Spirit are one.

holy God alone is holy. This is a way to say that God is God and we are not. As members of the Church, we are called to share in God's holiness by showing others his love.

catholic Catholic with a capital C means "the Roman Catholic Church." When we say "I believe in one, holy, catholic, and apostolic church," **catholic** means "universal," and a lowercase c is used. We are saying that Christ's Church invites all to belong.

apostolic We know that God has all authority and that he gave his authority to Jesus. We also know that Jesus passed on his authority to the Church through Peter and the apostles. The Church still follows the teaching of the apostles. The pope, who is the bishop of Rome, and the bishops, priests, and deacons lead the Church (all who are baptized) to pass on the teachings of the apostles from generation to generation. By handing down the teaching of the apostles, the Church is **apostolic**.

So when we say "I believe in one, holy, catholic, and apostolic church," we are saying that we believe in a Church that trusts in the Trinity, has divine roots and guidance, is open to all people, and is faithful to the teachings of the apostles. These things make the Church very easy to recognize.

 **Facts of Our Faith: *Pentecost***

Jesus told Simon, "You are Peter, and upon this rock I will build my church" (Matthew 16:18). The Acts of the Apostles 2:1–13 tells us how 50 days after his Resurrection and 10 days after he ascended into Heaven, Jesus sent the Holy Spirit to the apostles. This event is called the Feast of Pentecost. We can think of Pentecost as the birthday of the Church.

Piensa y escribe

Llena cada cuarto de la iglesia que aparece a continuación con dibujos y leyendas que muestren lo que sabes sobre los atributos de la Iglesia.

una	santa
católica	**apostólica**

Think and Write

Fill in each room of the church below with pictures and captions to show what you know about the Marks of the Church.

one	holy
catholic	**apostolic**

Modelos de fe: la Virgen María y los santos

¿Cómo aprenden los bebés a caminar o a hablar? Aprenden imitando a las personas que ven todos los días. De hecho, todos los seres vivos aprenden por imitación. Si queremos crecer espiritualmente, miramos a los demás para que nos enseñen a seguir a Jesús. En general aprendemos de las personas más cercanas a nosotros: padres, hermanos y hermanas mayores, padrinos, abuelos y amigos. La Iglesia también nos da modelos de personas que han seguido a Jesús viviendo una vida en la santidad. Estas personas son los santos. Al aprender acerca de la vida de los santos, podemos aprender cómo responder al llamado de Dios en nuestra propia vida.

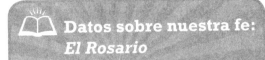

Datos sobre nuestra fe:
El Rosario

El Rosario es una oración de devoción que recuerda los hechos de la vida de la Virgen María y de Jesús. Aprende sobre el Rosario en las páginas 134–136.

El ejemplo más importante de todos los santos es la Virgen María, la madre de Jesús. La Virgen María tiene un lugar especial de honor para los católicos. La Virgen María respondió con un sí a la voluntad de Dios al ser la madre del Hijo único de Dios. Honramos a la Virgen María llamándola Madre de Dios y Madre de la Iglesia. Así como acudimos a nuestra madre cuando necesitamos ayuda y guía, de la misma manera podemos acudir a la Virgen María. Podemos pedirle que nos acerque más a su Hijo, Jesús. Al seguir el ejemplo de la Virgen María, y con su ayuda, podemos ser discípulos más fieles.

La Iglesia celebra a la Virgen María en cinco fiestas especiales. Cada día de fiesta nos recuerda un acontecimiento importante de su vida.

La Inmaculada Concepción: El 8 de diciembre celebramos que la Virgen María estuvo libre del pecado original.

La presentación de María: El 21 de noviembre, basándonos en una historia tradicional, recordamos que los padres de María la llevaron al Templo cuando tenía tres años de edad para presentarla al Señor.

La Anunciación: El 25 de marzo recordamos la aparición del ángel Gabriel, que le anunció a la Virgen María que iba a ser la madre del Hijo de Dios.

La Visitación: El 31 de mayo celebramos el día en que la Virgen María, embarazada de Jesús, visitó a su prima Isabel, que estaba embarazada de Juan el Bautista.

La Asunción: El 15 de agosto celebramos el día en que la Virgen María fue llevada al Cielo al final de su vida terrenal.

Durante siglos la gente ha considerado a los santos ejemplos de santidad y fidelidad. Al igual que hacemos con la Virgen María, también honramos a los santos. No los adoramos. Adoramos solo a Dios. Cuando oramos delante de estatuas o imágenes de los santos, les estamos pidiendo que nos ayuden a acercarnos más a Jesús. Las estatuas, íconos, medallas y otras imágenes sagradas nos ayudan a enfocar nuestras oraciones.

Models of Faith—Mary and the Saints

How do babies learn to walk or talk? They learn by imitating the people they see every day. In fact, all living creatures learn by imitation. If we want to grow spiritually, we look to others to show us how to follow Jesus. The people we can learn from are usually those closest to us: parents, older brothers and sisters, godparents, grandparents, and close friends. The Church also gives us role models who have followed Jesus by living lives of holiness. These people are the saints. By learning about the lives of the saints, we can learn how to answer God's call in our own lives.

 **Facts of Our Faith:**
The Rosary

The Rosary is a devotional prayer that recalls events in Mary's and Jesus' lives. Learn about the Rosary on pages 134–136.

The greatest example of all the saints is Mary, the mother of Jesus. Mary holds a special place of honor for Catholics. Mary said yes to God's will by being the mother of God's only Son. We honor Mary by calling her the Mother of God and the Mother of the Church. Just as we go to our own mothers when we need help and guidance, we can go to Mary. We can ask her to help us grow closer to her son, Jesus. By following Mary's example and with her help, we can become more faithful disciples.

The Church celebrates Mary on five special days. Each day reminds us of some important events in her life.

Immaculate Conception: On December 8, we celebrate that Mary was free from Original Sin.

Presentation of Mary: On November 21, we recall from a traditional story that Mary's parents brought her to the Temple when she was three years old to present her to the Lord.

Annunciation: On March 25, we remember that the angel Gabriel announced to Mary that she is to be the mother of the Son of God.

Visitation: On May 31, we celebrate the day that Mary, pregnant with Jesus, visited her relative Elizabeth, who was pregnant with John the Baptist.

Assumption: On August 15, we celebrate the day that Mary was taken up to Heaven at the end of her earthly life.

For centuries, people have looked to the saints as examples of holiness and faithfulness. As with Mary, we honor the saints. We do not worship them. Worship is for God alone. When we pray before statues or pictures of saints, we are asking them to help us grow closer to Jesus. Statues, icons, medals, and other sacred images help us to focus our prayer.

La Comunión de los Santos y la vida eterna

El Cielo es el estado en el que estamos completamente en presencia de Dios —Padre, Hijo y Espíritu Santo—. El Infierno es el estado en el que estamos completamente separados de Dios después de la muerte. Dios no nos manda al Infierno. El Infierno es "elegido" por aquellos que rechazan el amor de Dios y su misericordia. El **Purgatorio** es el estado de aquellos que mueren en el amor de Dios pero que no han dejado totalmente de lado las cosas que los separan de ese amor. Antes de poder estar en presencia de Dios en el Cielo, debemos estar libres de pecado. Oramos por los que están en el Purgatorio para que puedan unirse con Dios en el Cielo.

Al igual que nos mantenemos en contacto con quienes están lejos, podemos orar a las personas que componen la Comunión de los Santos. La **Comunión de los Santos** se compone de los santos, así como de todos los fieles seguidores de Jesús que han pasado de esta vida a la otra, como nuestros padres, abuelos, hijos y vecinos. Podemos orar por ellos y ellos pueden orar por nosotros.

Datos sobre nuestra fe: *La Salvación fuera de la Iglesia*

¿Qué ocurre con los protestantes, musulmanes, hindúes, budistas, judíos y demás que no son católicos? La Iglesia enseña que cada persona que es salvada, incluso si no forma parte de la Iglesia, es salvada por Jesucristo en formas que solo Dios conoce. Por lo tanto, las personas no católicas que buscan a Dios con un corazón sincero y tratan de hacer la voluntad de Dios de la manera que mejor entienden están en comunión con la Iglesia de una manera diferente y pueden ser salvadas.

¡Vívelo!

Piensa en algún santo u otra persona conocida que haya muerto. Escribe una oración pidiéndole a esa persona que te ayude a mostrarles a los demás la manera de vivir como parte de la Iglesia.

_____

_____

¿Y qué importa esto?

¿Por qué es importante que los católicos creamos en la Iglesia, la Virgen María, los santos y la eternidad? La Iglesia es el vehículo que nos lleva en el camino hacia Jesús. Estamos unidos unos a otros e impulsados por la esperanza y el amor. La Virgen María y los santos son modelos a seguir que nos ayudan a vivir con esperanza y que nos enseñan a seguir a Jesús. Ellos son parte de la Comunión de los Santos y podemos pedirles su ayuda. En Jesús recibimos un vistazo fugaz de la vida eterna. En Cristo resucitado sabemos lo que nos espera si lo seguimos a él.

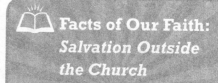

The Communion of Saints and Life Everlasting

Heaven is when we are fully in the presence of God—Father, Son, and Holy Spirit. Hell is when we are completely separated from God after death. God does not send us to Hell. Hell is "chosen" by people who reject God's love and mercy. **Purgatory** is when those who die love God, but who have not fully let go of things that separate them from God's love. Before we enter into God's presence in Heaven, we must be free from sin. We pray for those in Purgatory so that they may be united with God in Heaven.

Just like we stay in touch with those who are far away, we can pray to people who make up the Communion of Saints. The **Communion of Saints** is made up of saints and all who faithfully followed Jesus in their lives but have passed from this life into the next. These can be parents, grandparents, children, and neighbors. We can pray for them, and they can pray for us.

Facts of Our Faith: *Salvation Outside the Church*

What about Protestants, Muslims, Hindus, Buddhists, Jews, and other non-Catholics? The Church teaches that every person who is saved, even those outside the Church, is saved by Jesus Christ in ways only known to God. So non-Catholics who seek God with a sincere heart and try to do God's will as they understand it are still in communion with the Church in a different way and can be saved.

Live It!

Think of a saint or a person you knew who has died. Write a prayer asking him or her to help you show others how to live as part of the Church.

_____

_____

So What?

So what difference does it make that Catholics believe in the Church, Mary, the saints, and eternity? The Church is the vehicle that carries us on the path to Jesus. We are bound to one another and driven by hope and love. Mary and the saints are role models who help us live with hope and teach us how to follow Jesus. They are part of the Communion of Saints, and we can ask for their help. In Jesus, we have been given a glimpse of eternal life. In the risen Christ, we know what waits for us if we follow him.

Repaso

Sagradas Escrituras

Entonces vi un cielo nuevo y una tierra nueva. El cielo y la tierra antiguos habían desaparecido, el mar desapareció. Vi también la Ciudad Santa, la nueva Jerusalén, bajando del cielo de Dios. Oí una voz potente que salía del trono y decía: "Mira la morada de Dios entre los hombres. Habitará con ellos y ellos serán su pueblo. Dios mismo estará con ellos. Les secará las lágrimas de los ojos y ya no habrá muerte ni pena ni llanto ni dolor. Todo lo antiguo ha pasado".

(adaptado de Apocalipsis 21:1–4)

Oración

Dios Padre, Hijo y Espíritu Santo, gracias por invitarme a compartir tu vida divina como miembro de tu Iglesia. Ayúdame a aprender del ejemplo de la Virgen María y de los santos, a seguir a Jesús más de cerca y a hacer todo lo que quieres que haga con ayuda del Espíritu Santo. Amén.

Ideas principales del capítulo

- La Iglesia es una, santa, católica y apostólica.
- La Virgen María y los santos son ejemplos de cómo seguir a Jesús.
- Creemos en la vida eterna que se nos da a través de Jesús.

Palabras a memorizar

apostólica	Comunión de los Santos	Purgatorio
católica	atributos de la Iglesia	corresponsabilidad

Responde

¿Cómo puedes ser tú un modelo de tu fe?

_____

_____

_____

En casa

Comenta la siguiente pregunta con un adulto. Escribe tu respuesta.

¿Cómo podemos mostrarles a otros que realmente creemos que la Iglesia es católica?

_____

_____

_____

Review

Scripture

Then I saw a new heaven and a new earth. The old heaven and earth had passed away, and the sea was gone. I also saw the holy city, a new Jerusalem, coming down out of heaven from God. I heard a loud voice from the throne saying, "Behold, God's home is with the human race. He will live with them and they will be his people. God himself will always be with them. He will wipe every tear from their eyes, and there shall be no more death or mourning, wailing or pain, for the old order has passed away."

(adapted from Revelation 21:1–4)

Prayer

God the Father, Son, and Holy Spirit, thank you for inviting me to share in your divine life as a member of your Church. Help me to learn from the example of Mary and the saints, to follow Jesus more closely, and to do what you want me to do with the help of the Holy Spirit. Amen.

Chapter Highlights

- The Church is one, holy, catholic, and apostolic.
- Mary and the saints are examples of how to follow Jesus.
- We believe in eternal life given to us through Jesus.

Terms to Remember

apostolic	Communion of Saints	Purgatory
catholic	Marks of the Church	stewardship

React

How can you be a model of your faith?

_____

_____

_____

At Home

Discuss this question with a grown-up. Write your answer.

How can we show others that we truly believe that the Church is catholic?

_____

_____

_____

PARTE 2

Los sacramentos: Expresar la fe

The Sacraments: Expressing Faith

Porque yo recibí del Señor lo que les transmití: que el Señor, la noche que era entregado, tomó pan, dando gracias lo partió y dijo: "Esto es mi cuerpo que se entrega por ustedes. Hagan esto en memoria mía". De la misma manera, después de cenar, tomó la copa y dijo: "Esta copa es la nueva alianza sellada con mi sangre. Cada vez que la beban háganlo en memoria mía". Y así, siempre que coman este pan y beban esta copa, proclamarán la muerte del Señor, hasta que vuelva.

1 Corintios 11:23–26

For I received from the Lord what I also handed on to you, that the Lord Jesus, on the night he was handed over, took bread, and, after he had given thanks, broke it and said, "This is my body that is for you. Do this in remembrance of me." In the same way also the cup, after supper, saying, "This cup is the new covenant in my blood. Do this, as often as you drink it, in remembrance of me." For as often as you eat this bread and drink the cup, you proclaim the death of the Lord until he comes.

1 Corinthians 11:23–26

CAPÍTULO 7

El culto y la liturgia

No hace mucho tiempo estabas en kindergarten.

Una de las primeras cosas que tal vez te enseñaron fue a caminar en
fila con tus compañeros de clase en el patio. Tal vez cada día tenían
un líder de fila. Quedarte en la fila demostraba que sabías cómo
seguir instrucciones y trabajar en equipo. Nuestra fe católica es como
el líder de la fila. Nos ayuda a "alinearnos" con Dios y a estar unidos
con él. Como católicos, hacemos esto a través del culto y la liturgia.

CHAPTER 7

Worship and Liturgy

 Not so long ago you were in kindergarten. One of the first things you were taught may have been to stay in line as your class walked through school. You may have had a line leader each day. Staying in line showed that you knew how to follow directions and work together. Our Catholic faith is like a line leader. It helps us to "line up" with God and to be united with him. As Catholics, we do this through worship and liturgy.

Alinearnos con Dios

¿Alguna vez se te dobló una rueda de tu bicicleta? Para mantenernos seguros tenemos que verificar que los neumáticos de nuestra bicicleta estén correctamente alineados. En nuestro peregrinar en la fe tenemos que aprender a alinearnos con lo que Dios quiere para nosotros. Nuestro Bautismo es el primer paso para alinearnos con Dios. No importa si celebramos nuestro Bautismo de bebés o hace poco. Vivir nuestro Bautismo a diario significa tratar de alinearnos con la voluntad de Dios en todo lo que hacemos.

Como católicos, tratamos de alinearnos con Dios de muchas maneras, entre las que se encuentra el culto. Algunas palabras que pueden ayudarte a entender el culto son: *alabanza, honor, gloria, adoración, acción de gracias* y *devoción.* Cualquier forma de alinearnos con Dios es una forma de darle **culto**.

Cuando damos culto con los demás miembros de nuestra parroquia, a ese culto lo llamamos **liturgia**. La liturgia más importante es la celebración de la misa, pero la Iglesia celebra también otras liturgias, entre ellas la celebración de los sacramentos y la Liturgia de las Horas. Los sacramentos son el centro de la liturgia de la Iglesia. Nos ayudan a avanzar hacia Cristo y a alinearnos con Dios. Toda liturgia celebra el Misterio Pascual de Cristo —su Pasión, muerte y Resurrección—. Cuando celebramos la liturgia, experimentamos la gracia de Dios y somos transformados.

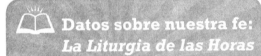

Datos sobre nuestra fe:
La Liturgia de las Horas

La Liturgia de las Horas es la oración pública diaria de la Iglesia. Con esta práctica alabamos a Dios y reconocemos que toda la jornada es sagrada. Comienza con una oración de alabanza de la mañana (Laudes), continúa con la oración durante el día, una oración de la tarde (Vísperas) y la oración de la noche (Completas).

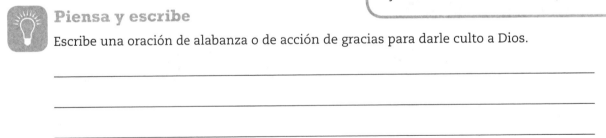

Piensa y escribe

Escribe una oración de alabanza o de acción de gracias para darle culto a Dios.

_____

_____

_____

Aligning Ourselves with God

Has your bike ever had a crooked wheel? To be safe, we need to be sure that our bike tires are aligned properly. On our own journey of faith, we have to learn to align ourselves with what God wants for us. Our Baptism is the first step in aligning ourselves with God. It doesn't matter if we celebrated our Baptism as a baby or just recently. To live our Baptism each day means that we try to align ourselves with God's will in all that we do.

As Catholics, we try to align with God in many ways, including through worship. Some words that might help you understand worship are *praise, honor, glory, adoration, thanksgiving,* and *devotion.* Any way in which we align ourselves with God is a way to **worship** him.

When we worship with the other members of our parish, we call our worship **liturgy.** The most important liturgy we practice is the celebration of the Mass, but the Church celebrates other liturgies as well. They include celebrating the sacraments and the Liturgy of the Hours. The sacraments are the center of the liturgy of the Church. They help us move toward Christ and align ourselves with God. All liturgy celebrates the Paschal Mystery of Christ—his suffering, Death, and Resurrection. When we celebrate the liturgy, we experience God's grace and are changed.

 **Facts of Our Faith:**
The Liturgy of the Hours

The Liturgy of the Hours is the daily public prayer of the Church. With this practice, we praise God and recognize that the entire day is holy. It begins with a morning prayer of praise (Lauds), continues with daytime prayer, an evening prayer (Vespers), and night prayer (Compline).

Think and Write

Write a prayer of praise or thanksgiving to worship God.

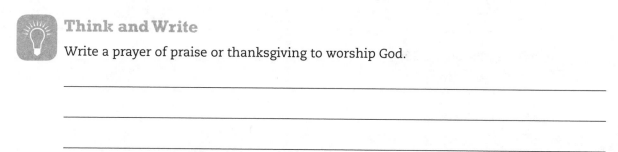

_____

_____

_____

Los sacramentos de la Iglesia

Las señales de PARE, los semáforos, las señales de salida y las señalizaciones en las calles guían a los conductores en el camino. Los sacramentos son signos que nos guían por nuestro camino en la fe. Son signos que revelan la presencia de Dios y traen su gracia a nuestra vida. Jesús instituyó los sacramentos y se los dio a la Iglesia. La Iglesia tiene siete sacramentos. Cuando celebramos los sacramentos, adoramos a Dios y crecemos en santidad como individuos y como comunidad. Los sacramentos se pueden agrupar de la siguiente manera:

Sacramentos de la Iniciación: el Bautismo, la Confirmación y la Eucaristía

Sacramentos de la Curación: la Penitencia y la Reconciliación, y la Unción de los Enfermos

Sacramentos al Servicio de la Comunidad: el Orden y el Matrimonio

 Piensa y escribe

Describe lo que sabes acerca de estos sacramentos, incluyendo sus signos y símbolos.

Bautismo _____

_____

Confirmación _____

_____

Eucaristía _____

_____

Penitencia y Reconciliación _____

_____

Unción de los Enfermos _____

_____

Orden _____

_____

Matrimonio _____

_____

The Sacraments of the Church

Stops signs, traffic lights, exit signs, and street signs help guide drivers on the road. The sacraments are signs to guide us on our faith journey. They are signs that reveal God's presence and bring his grace into our lives. Jesus established the sacraments and gave them to the Church. The Church has seven sacraments. When we celebrate the sacraments, we worship God and grow in holiness as individuals and as a community. The sacraments can be grouped together in the following way:

Sacraments of Initiation: Baptism, Confirmation, and the Eucharist

Sacraments of Healing: Penance and Reconciliation, and the Anointing of the Sick

Sacraments at the Service of Communion: Holy Orders and Matrimony

 Think and Write

Describe what you know about these sacraments, including the signs and symbols.

Baptism _____

_____

Confirmation _____

_____

Eucharist _____

_____

Penance and Reconciliation _____

_____

Anointing of the Sick _____

_____

Holy Orders _____

_____

Matrimony _____

_____

¿Quién? ¿Cómo? ¿Cuándo? ¿Dónde?

¿Quién celebra los sacramentos? La Iglesia, Cuerpo integral de Cristo, celebra los sacramentos bajo la inspiración del Espíritu Santo.

¿Cómo celebramos? Usamos una variedad de signos, símbolos y rituales. Leemos las Sagradas Escrituras. Caminamos en procesión. Cantamos. Nos inclinamos, nos arrodillamos, nos paramos y nos sentamos. Combinamos palabras y acciones para hacer visible la gracia invisible de Cristo. Más allá de las paredes de la iglesia, seguimos dándole culto a Dios, amando a los demás y mostrándoles la gracia de Dios a través de nuestras acciones.

¿Cuándo celebramos? Durante el año litúrgico, con la Pascua como centro, se celebra el Misterio Pascual de Jesús a través de varios tiempos y fiestas. A lo largo del año litúrgico también podemos celebrar los sacramentos y honrar a la Virgen María y a los santos. Todos los días podemos rezar la Liturgia de las Horas con toda la Iglesia.

¿Dónde celebramos? A pesar de que podemos orar y, de hecho, oramos dondequiera que estemos, la Iglesia dedica ciertos espacios que se consideran sagrados. Las iglesias nos ofrecen estos espacios sagrados que nos recuerdan la importancia de lo que ocurre cuando le damos culto a Dios Todopoderoso.

> Combinamos palabras y acciones para hacer visible la gracia invisible de Cristo.

¡Vívelo!

La celebración de los sacramentos por parte de la Iglesia consiste de ciertos ritos y rituales. Muchas familias tienen sus propias maneras de celebrar cuando los miembros de esa familia reciben los sacramentos. ¿Cómo podrías festejar un sacramento, como la Primera Comunión, con tu familia y amigos antes y después de la celebración en la iglesia?

_____

_____

_____

_____

Who? How? When? Where?

Who celebrates the sacraments? The Church, the entire Body of Christ under the inspiration of the Holy Spirit, celebrates the sacraments.

How do we celebrate? We use many signs, symbols, and rituals. We read from Scripture. We walk in procession. We sing. We bow, kneel, stand, and sit. We combine word and action to make visible the invisible grace of Christ. Beyond the church walls, we continue to worship God by loving others and showing others grace through our actions.

When do we celebrate? During the liturgical year, with Easter at its center, we celebrate the Paschal Mystery of Jesus through different seasons and feasts. Throughout the liturgical year, we can also celebrate the sacraments and honor Mary and the saints. Every day we can pray the Liturgy of the Hours with the whole Church.

> We combine word and action to make visible the invisible grace of Christ.

Where do we celebrate? Although we can and do pray anywhere, the Church dedicates certain spaces as sacred. Church buildings provide us with these sacred spaces that remind us of the significance of what takes place when we worship Almighty God.

 Live It!

The Church's celebration of sacraments involves certain rites and rituals. Many families have their own ways to celebrate when family members receive the sacraments. How might you celebrate a sacrament, such as First Holy Communion, with your family and friends before and after the church celebration?

_____

_____

_____

_____

El año litúrgico

Probablemente tu familia tiene un calendario en casa para mantener un registro de los acontecimientos importantes, como los cumpleaños o las citas con el dentista. La Iglesia utiliza un calendario llamado **calendario litúrgico**. Este calendario resalta los tiempos y fiestas del año litúrgico. El calendario litúrgico representa la celebración del misterio de Cristo. Comienza con la preparación para su nacimiento y continúa a través de su muerte, Resurrección y Ascensión. Luego pasa a la espera de su regreso. La Iglesia marca el paso del tiempo con un ciclo de tiempos y fiestas que nos invitan a profundizar nuestra relación con Jesús. El calendario litúrgico representa la celebración del misterio de Cristo.

The Liturgical Year

Your family probably has a calendar at home to keep track of important events, such as birthdays and dentist appointments. The Church uses a calendar called the **liturgical calendar**. This highlights the seasons and feasts in the Church year. The liturgical calendar represents the celebration of the mystery of Christ. It starts with the anticipation of his birth and continues through his Death, Resurrection, and Ascension. It then moves to the expectation of his return. The Church marks the passage of time with a cycle of seasons and feasts that invites us to deepen our relationship with Jesus. The liturgical calendar represents the celebration of the mystery of Christ.

El **Adviento** es el comienzo del año litúrgico. Comienza cuatro domingos antes de Navidad. El Adviento es un tiempo de esperanza y alegría en el que nos preparamos para celebrar el nacimiento de Jesús y para anticipar su segunda venida.

El tiempo de **Navidad** comienza con la Navidad, la celebración del nacimiento de Jesús. Luego sigue la **Epifanía** del Señor, cuando Jesús fue conocido en el mundo. Este tiempo termina con la fiesta del Bautismo del Señor.

El **Tiempo Ordinario** es la temporada en que celebramos en la vida diaria nuestro llamado a seguir a Jesús como sus discípulos. Los domingos de todo el año se consideran un tiempo sagrado. El Tiempo Ordinario (por lo general 33 semanas) se celebra después del tiempo de Navidad y de nuevo después de la Pascua.

La **Cuaresma** comienza el Miércoles de Ceniza. Es la temporada en que nos volvemos hacia Dios en preparación para la Pascua. A lo largo de estos 40 días la Iglesia entera se prepara mediante la oración, el ayuno y la limosna. Dar limosna es un don para las personas necesitadas.

La **Semana Santa** recuerda los acontecimientos en torno a la Pasión y muerte de Jesús. Esta semana comienza con la entrada de Jesús en Jerusalén el Domingo de Ramos y termina el Sábado Santo con la Vigilia de la Resurrección. Celebramos el punto culminante del año litúrgico marcando el **Triduo**, nuestra celebración de "Pascua" de la muerte y Resurrección de Jesús.

 Datos sobre nuestra fe: *El Triduo*

El Triduo Pascual son los tres días antes de la Pascua. Comienza en la tarde del Jueves Santo con la misa de la Cena del Señor. Recordamos que Jesús mostró su amor por sus discípulos al lavarles los pies. El Triduo incluye el Viernes Santo y el Sábado Santo. El Viernes Santo no hay misa, pero el pueblo reza el *Vía Crucis*, o Estaciones de la Cruz, y se celebra un servicio religioso que recuerda la Pasión, el tiempo transcurrido entre la Última Cena y el momento en que Jesús muere en la cruz. Durante esta ceremonia honramos la cruz de Jesús. El Sábado Santo es un día de oración y reflexión. El Triduo culmina con la misa de la Vigilia Pascual después de la puesta del sol.

Advent is the beginning of the Church year. It begins four Sundays before Christmas. Advent is a season of hope and joy in which we prepare to celebrate the birth of Jesus and to anticipate his second coming.

The **Christmas** season starts with Christmas, the celebration of Jesus' birth. This is followed by the **Epiphany,** when Jesus became known to the world. The season ends with the Feast of the Baptism of Our Lord.

Ordinary Time is the time for celebrating our call to follow Jesus as his disciples day by day. The Sundays of the entire year are counted as sacred time. Ordinary Time (typically 33 weeks) is celebrated after the Christmas season and again after Easter.

Lent begins on Ash Wednesday. It is a time of turning toward God in preparation for Easter. Throughout these 40 days, the whole Church prepares by praying, fasting, and giving alms. Alms are gifts for someone in need.

Holy Week recalls the events surrounding the suffering and Death of Jesus. This week begins with Jesus' entrance into Jerusalem on Palm Sunday and ends on Holy Saturday with the vigil of his Resurrection. We celebrate the high point of the liturgical year by marking the **Triduum,** our "Passover" celebration of Jesus' Death and Resurrection.

 Facts of Our Faith: *Triduum*

The Easter Triduum is the three days before Easter. It begins on Holy Thursday evening with the Mass of the Lord's Supper. We remember how Jesus showed the disciples his love by washing their feet. The Triduum includes Good Friday and Holy Saturday. On Good Friday, there is no Mass, but people pray the Stations of the Cross and hold a service that recalls the Passion, the time between the Last Supper and the moment Jesus dies on the cross. During this service, we honor the Cross of Jesus. Holy Saturday is a day of prayer and reflection. The Triduum ends with the Easter Vigil Mass after sundown.

En **Pascua** se celebra que Jesús fue resucitado de entre los muertos. Como la Resurrección es el misterio central de la fe cristiana, la Iglesia reserva 50 días para una gozosa celebración. Estos días desde la Pascua hasta el Pentecostés se celebran como un solo día de fiesta, a veces llamado "el gran domingo". La Pascua se celebra el primer domingo después de la primera luna llena de primavera.

El **Pentecostés** es el día que celebramos la venida del Espíritu Santo sobre los discípulos, 50 días después de la Resurrección de Jesús. Con esta fiesta termina el tiempo pascual. El Pentecostés es la celebración del "cumpleaños de la Iglesia universal".

> El Pentecostés es la celebración del "cumpleaños de la Iglesia universal".

¡Vívelo!

¿De qué maneras puedes compartir la paz de Cristo con los demás mediante la oración y la limosna durante la Cuaresma y durante todo el año litúrgico?

_____

_____

_____

_____

_____

¿Y qué importa esto?

¿Por qué es importante que los católicos demos culto? Porque significa que nos alineamos continuamente con la voluntad de Dios. Sin el culto, a veces hacemos cosas que nos impiden amar a Dios y al prójimo. Dar culto es amar y dirigir toda nuestra atención a Dios. Los sacramentos son signos visibles de la gracia invisible de Dios. Los sacramentos nos ayudan a avanzar hacia Cristo y alinearnos con Dios.

Easter celebrates Jesus being raised from the dead. Because the Resurrection is the central mystery of the Christian faith, the Church sets aside 50 days of joyful celebration. These days, from Easter to Pentecost, are celebrated as one feast day, sometimes called "the great Sunday." Easter is celebrated on the first Sunday after the first full moon of spring.

Pentecost is the day on which we celebrate the coming of the Holy Spirit upon the disciples 50 days after Jesus' Resurrection. With this feast, the Easter season ends. Pentecost is our celebration of the "birthday of the universal Church."

> **Pentecost is our celebration of the "birthday of the universal Church."**

Live It!

What are some ways you can share the peace of Christ with others through prayer and almsgiving during Lent and throughout the Church year?

_____

_____

_____

_____

_____

So What?

So what difference does it make that Catholics worship? It means that we continually align ourselves with God's will. Without worship, we sometimes do things that prevent us from loving God and neighbors. To worship is to love and direct all our attention to God. The sacraments are visible signs of God's invisible grace. The sacraments help us to move toward Christ and align ourselves with God.

Repaso

Sagradas Escrituras

Aclame al Señor, la tierra entera, / sirvan al Señor con alegría, entren a su presencia con vítores.

(Salmo 100:1–2)

Oración

Señor, Dios, a veces me resulta difícil centrar mi atención en ti. Ayúdame a alinearme con tu voluntad. Ayúdame a darte culto y a reconocer lo que me pides que haga. Amén.

Ideas fundamentales del capítulo

- Nos alineamos con Dios a través del culto y la liturgia.
- Damos culto como Iglesia a través de la liturgia.
- Los sacramentos son signos visibles de la gracia de Dios.
- El calendario litúrgico representa la celebración del misterio de Cristo.

Palabras a memorizar

Adviento	Epifanía	liturgia	Triduo
Navidad	Semana Santa	Tiempo Ordinario	culto
Pascua	Cuaresma	calendario litúrgico	Pentecostés

Responde

¿Cuáles son dos maneras en que das culto con tu familia?

_____

_____

En casa

Comenta la siguiente pregunta con un adulto. Escribe tu respuesta.

¿Qué podemos hacer en familia para poner más énfasis en el culto a lo largo de cada semana?

_____

_____

Review

Scripture

Shout joyfully to the LORD, all you lands; / serve the LORD with gladness; / come before him with joyful song.

(Psalm 100:1–2)

Prayer

Lord, God, I sometimes find it hard to focus my attention on you. Help me to align myself with your will. Help me to worship you and to recognize what you ask me to do. Amen.

Chapter Highlights

- We align ourselves with God through worship and liturgy.
- We worship as the Church through liturgy.
- The sacraments are outward signs of God's grace.
- The liturgical calendar represents the celebration of the mystery of Christ.

Terms to Remember

Advent	Epiphany	liturgical calendar	Pentecost
Christmas	Holy Week	liturgy	Triduum
Easter	Lent	Ordinary Time	worship

React

What are two ways you worship with your family?

_____

_____

At Home

Discuss this question with a grown-up. Write your answer.

What can we do as a family to put more focus on worship throughout each week?

_____

_____

CAPÍTULO 8

El misterio y la sacramentalidad

Piensa en cómo celebras los cumpleaños, la Navidad u otros días especiales con tu familia y amigos.

En días como esos la gente nos demuestra su cariño de muchas maneras. Tal vez tu abuela te envíe una tarjeta o tus padres y amigos te den regalos. Estas acciones son señales de cariño que nos hacen sentirnos amados por los demás. Estas señales incluso podrían considerarse signos. Las señales y los signos pueden darnos a entender cosas que las palabras solas no pueden. A veces Dios nos habla por medio de signos. Podemos acercarnos más a Dios a través de los signos de nuestra fe católica, que nos ayudan a conocer el misterio de Dios.

CHAPTER 8

Mystery and Sacramentality

 Think of how you celebrate birthdays, Christmas, or other special days with your family and friends.

On these days, people show that they care for us in many ways. Maybe your grandmother sends a card or your parents or friends give gifts. These actions are signs that make us feel loved by others. Signs can say something to us that words alone do not. Sometimes God speaks to us by using signs. We can grow closer to God through the signs of our Catholic faith that help us know the mystery of God.

Es un misterio

Cuando sabemos que alguien nos ama, podemos pensar en las señales o los signos de ese amor en nuestra vida. Aprendimos que Dios se ha revelado ante nosotros de esa misma forma y sigue revelándose ante nosotros ahora. Podemos estar seguros de que Dios nos ama al leer su historia en la Biblia y al experimentar su presencia en los sacramentos.

En la fe católica el Misterio Pascual y la Santísima Trinidad son los misterios centrales a través de los cuales Dios se revela ante nosotros. Estas son maneras en las que también experimentamos su amor. En la misa se nos invita a proclamar el misterio de nuestra fe. Proclamamos nuestra fe en el **Misterio Pascual** de Cristo: que a través de la Pasión, muerte y Resurrección de Jesús tenemos una nueva vida. La palabra *pascual* viene de una palabra griega que significa *paso*. La Pascua es el momento en que el pueblo judío celebra la noche en que sus antepasados fueron salvados del ángel de la muerte. Ellos rociaron los dinteles de sus casas con la sangre de un cordero. Somos salvados del pecado por la sangre del Cordero de Dios, Jesús. Él es nuestra Pascua, nuestro Misterio Pascual. Este misterio está en el corazón de nuestra fe: de la muerte viene una vida nueva.

> En la fe católica el Misterio Pascual y la Trinidad son los misterios centrales a través de los cuales Dios se revela ante nosotros.

Hemos aprendido que Dios es Padre, Hijo y Espíritu Santo. En el Misterio Pascual descubrimos que Dios Padre envió a su Hijo Jesús para pasar de la muerte a una vida nueva en la Resurrección. Jesús hizo esto para salvarnos de nuestros pecados.

 Datos sobre nuestra fe: *La Consagración*

La Consagración de la Eucaristía —el pan y el vino que se transforman en el Cuerpo y la Sangre de Cristo— tiene lugar durante la Plegaria Eucarística. Es el punto en la misa en el que Jesucristo resucitado se hace presente físicamente en el altar para que podamos recibirlo en la Sagrada Comunión.

It's a Mystery

When we know someone loves us, we can think of signs of that love in our life. We have learned that God has revealed himself to us in the same way and continues to reveal himself to us now. We can be sure God loves us through reading his story in the Bible and experiencing his presence in the sacraments.

In the Catholic faith, the central mysteries through which God reveals himself to us are the Paschal Mystery and the Trinity. These ways also let us experience his love. At Mass, we are invited to proclaim the mystery of our faith. We are proclaiming our belief in the **Paschal Mystery** of Christ: that through Jesus' suffering, Death, and Resurrection, we have new life. The word *paschal* comes from the Greek word for *Passover*. Passover is the time when the Jewish people celebrate the night their ancestors were saved from the angel of death. They brushed a lamb's blood on the doorposts of their homes. We are saved from sin by the blood of the Lamb of God, Jesus. He is our Passover, our Paschal Mystery. This mystery is at the heart of our faith: from death comes new life.

> In the Catholic faith, the central mysteries through which God reveals himself to us are the Paschal Mystery and the Trinity.

We have learned that God is Father, Son, and Holy Spirit. In the Paschal Mystery, we discover how God the Father sent his Son, Jesus, to pass through death to new life in the Resurrection. Jesus did this to save us from our sins.

 Facts of Our Faith: *Consecration*

The Consecration of the Eucharist—the bread and wine changing into the Body and Blood of Christ—takes place during the Eucharistic Prayer. It is the point in Mass when the risen Jesus Christ becomes physically present on the altar so that we may receive him at Holy Communion.

El misterio de nuestra fe

Los misterios que estamos exponiendo aquí no son ni enigmas ni misterios para ser resueltos por detectives. Tienen que ver con el amor de Dios por nosotros, que es tan grande que nunca lo entenderemos por completo. Para explorar el misterio de nuestra fe, contesta las siguientes preguntas.

¿Quién es Dios?

_____

_____

¿Cómo llegamos a conocer a Dios?

_____

_____

Pistas que podemos utilizar:

_____

_____

_____

¿Cuáles son los grandes misterios?

_____

_____

¿Qué sabemos al respecto?

_____

_____

Mystery of Our Faith

The mysteries we are discussing here are neither puzzles nor detective mysteries to be solved. They are about God's love for us that is so great we will never understand it completely. Answer the questions below to explore the mystery of our faith.

Who is God?

_____

_____

How do we get to know God?

_____

_____

Clues we can use:

_____

_____

What are the big mysteries?

_____

_____

What do we know about them?

_____

_____

_____

Piensa y escribe

¿De qué maneras se nos revela el misterio del amor de Dios?

_____

_____

_____

¡Vívelo!

¿Qué podemos hacer para mostrarles a los demás lo mucho que Dios nos ama?

_____

_____

Todos los católicos conocemos el lenguaje de señas

¿Qué hacen los maestros para que los alumnos presten atención en clase? Algunos maestros dan tres palmadas. Otros hacen una cuenta regresiva de cinco a uno. Hay otros que hacen señas con la mano. Estas son buenas maneras de llamar la atención. Los católicos también usamos señas en nuestro culto y nuestra liturgia, que sirven como señales o signos. Estos signos nos ayudan a mostrar nuestra relación con los demás y con Dios. Usamos palabras y acciones para expresarnos ante Dios. Rezar la Señal de la Cruz, trazarnos la cruz en la frente, los labios y el pecho y extender las manos con las palmas hacia arriba son todos gestos que utilizamos para mostrar nuestra conexión con Dios. Usamos signos porque las palabras por sí solas no son suficientes.

Usamos muchos signos, símbolos, rituales y gestos para mostrar nuestra conexión con Dios. Los católicos creemos que podemos encontrar a Dios en todas las cosas. Por eso, cuando celebramos nuestro encuentro con Dios en los siete sacramentos, usamos cosas ordinarias del mundo natural. Usamos agua, fuego, aceite, pan y vino como signos visibles.

> **Los católicos creemos que podemos encontrar a Dios en todas las cosas.**

En nuestras oraciones y devociones podemos utilizar imágenes y sacramentales como ayuda para rezar. Los **sacramentales** son bendiciones, gestos como la Señal de la Cruz, estatuas, estampas, rosarios, crucifijos y otras imágenes sagradas. Los sacramentales nos ayudan a dirigir nuestra atención a Dios. Las estatuas de la Virgen María o de los santos nos recuerdan la gracia de Dios y su presencia en el mundo. También se pueden utilizar sacramentales para enseñar acerca de Dios, las Sagradas Escrituras y la historia de la Iglesia.

Think and Write

In what ways is the mystery of God's love revealed to us?

_____

_____

_____

Live It!

What things can we do to show others how much God loves us?

_____

_____

All Catholics Know Sign Language

What do teachers do to get students to pay attention in class? Some teachers clap three times. Others count down from five to one. Still others use hand signals. These are good ways to get attention. We Catholics also use signs in our worship and liturgy. These signs help us show our relationship to one another and to God. We use words and actions to express ourselves to God. Praying the Sign of the Cross, tracing the cross on our foreheads, lips, and chest, and extending our hands with palms up are all gestures we use to show our connection with God. We use signs because words alone are not enough.

We use many signs, symbols, rituals, and gestures to show our connection with God. Catholics believe that God can be found in all things. So when we celebrate our encounters with God in the seven sacraments, we use ordinary things from the natural world. We use water, fire, oil, bread, and wine as visible signs.

> **Catholics believe that God can be found in all things.**

In our prayers and devotions, we can use pictures and sacramentals to help us in our prayer. **Sacramentals** are blessings, gestures like the Sign of the Cross, statues, holy cards, rosaries, crucifixes, and other sacred images. Sacramentals help us draw our attention to God. Statues of Mary or the saints remind us of God's grace and presence in the world. Sacramentals can also be used to teach about God, Scripture, and the history of the Church.

En la Biblia Dios usó muchos signos para revelar su presencia. Le habló a Moisés desde una zarza en llamas. Envió maná del cielo para alimentar a su pueblo. Condujo a los israelitas por el desierto con una columna de fuego y columnas de humo. Junto con las palabras, Dios usó signos, símbolos y rituales en su enseñanza. Todas estas cosas fueron parte del lenguaje de Dios. La Iglesia católica es una fe de sacramentos y sacramentales, que da culto utilizando un lenguaje que va más allá de las palabras, tal como Dios lo hizo en el pasado y todavía lo hace hoy.

> Junto con las palabras, Dios usó signos, símbolos y rituales en su enseñanza.

 Piensa y escribe

Elige dos sacramentales que encuentres en tu casa o en la casa de un amigo. Descríbelos y di cómo se utilizan.

_____

_____

 ¡Vívelo!

Hay muchos acontecimientos preocupantes en el mundo de hoy. Escribe una intención de oración por alguna causa. Después reúnanse en grupo y recen en voz alta usando un sacramental para centrar la oración.

_____

_____

_____

_____

 ¿Y qué importa esto?

¿Por qué es importante que los católicos entendamos y creamos en el Misterio Pascual? Porque significa que entendemos que Jesús murió, ha resucitado y vendrá de nuevo. Este misterio es el centro de nuestra fe: de la muerte viene una vida nueva. Los católicos damos culto haciendo uso de signos, símbolos y rituales. Cuando damos culto, usamos el mismo lenguaje que Dios usa. Usamos un lenguaje que va más allá de las palabras. Así como aprendimos de nuestros padres la manera de hablar, aprendemos de nuestro Padre en el Cielo a hablar el lenguaje de Dios.

In the Bible, God used many signs to reveal his presence. He spoke to Moses from a burning bush. He sent manna from the sky to feed his people. He led the Israelites through the desert with a pillar of fire and columns of smoke. God used signs, symbols, and rituals, along with words, to teach. These things were all part of God's language. The Catholic Church is a faith of sacraments and sacramentals that worships by using a language beyond words, just as God did in the past and still does today.

> God used signs, symbols, and rituals, along with words, to teach.

Think and Write

Choose two sacramentals that are in your home or a friend's home. Describe them and tell how they are used.

_____

_____

Live It!

There are many troubling events in the world today. Write a prayer intention for a cause. Then come together as a group to pray aloud using a sacramental to focus your prayer.

_____

_____

_____

_____

So What?

So what difference does it make that Catholics understand and believe in the Paschal Mystery? It means that we understand that Jesus died, he is risen, and he will come again. This mystery is the center of our faith: from death comes new life. Catholics worship by using signs, symbols, and rituals. When we worship, we use the same language God uses. We use a language beyond words. Just as we learned to speak from our parents, we learn to speak the language of God from our Father in Heaven.

Repaso

Sagradas Escrituras

Entonces el rey Darío escribió a toda la gente de la tierra: "¡Paz y bienestar! En mi imperio todos han de respetar y temer al Dios de Daniel. Él es el Dios vivo y permanecerá siempre; su reino no será destruido y su poder ha de perdurar. Él salva y libera, hace signos y prodigios en el cielo y en la tierra y él salvó a Daniel de los leones".

(adaptado de Daniel 6:26–29)

Oración

Señor, Dios, te has revelado a través de signos y prodigios. Ese es tu lenguaje. Ayúdame a ver los signos y prodigios que hay a mi alrededor. Ayúdame a sentir tu presencia y a escuchar tu voz en la celebración de los sacramentos. Amén.

Ideas fundamentales del capítulo

- El Misterio Pascual es que Jesús murió, ha resucitado y vendrá de nuevo.
- Nunca comprenderemos totalmente el misterio de lo mucho que Dios nos ama.
- La fe católica es una fe sacramental.
- Utilizamos signos, símbolos y rituales para expresar nuestra fe.

Palabras a memorizar

Misterio Pascual   sacramental

Responde

Explica de qué manera los sacramentales forman parte del lenguaje de nuestra fe.

_____

_____

_____

En casa

Comenta la siguiente pregunta con un adulto. Escribe tu respuesta.

¿Cómo podemos explicarle a alguien que no sea católico por qué los gestos, símbolos, signos y rituales son importantes en nuestra fe?

_____

_____

Review

Scripture

Then King Darius wrote to all the people on earth: "All peace to you! Throughout my royal domain, the God of Daniel is to be reverenced and feared: 'For he is the living God, and will be forever; his kingdom shall not be destroyed, and his power shall be without end. He is a deliverer and savior, working signs and wonders in heaven and on earth, and he delivered Daniel from the lions' power.'"

(adapted from Daniel 6:26–29)

Prayer

Lord, God, you have revealed yourself through signs and wonders. This is your language. Help me to see the signs and wonders all around me. Help me to feel your presence and hear your voice in the celebration of the sacraments. Amen.

Chapter Highlights

- The Paschal Mystery is that Jesus died, is risen, and will come again.
- We will never totally understand the mystery of how much God loves us.
- The Catholic faith is a sacramental faith.
- We use signs, symbols, and rituals to express our faith.

Terms to Remember

Paschal Mystery   **sacramental**

React

Explain how sacramentals are part of the language of our faith.

_____

_____

_____

At Home

Discuss this question with a grown-up. Write your answer.

How can we explain to someone who is not Catholic why gestures, symbols, signs, and rituals are important in our faith?

_____

_____

CAPÍTULO 9

Los sacramentos de la Iniciación

 ¿Alguna vez has trabajado con arcilla? Puedes moldearla y darle casi cualquier forma. Puedes hacer una vasija de barro, una jabonera, un portalápices o una escultura. Lo mejor de trabajar con arcilla es que si uno no está satisfecho con el resultado, se le puede dar otra forma y hacer algo nuevo. Dios también nos da forma y nos moldea. La Iglesia ayuda en esta formación y cambio, dándonos forma y transformándonos mediante el Bautismo, la Confirmación y la Eucaristía. A estos sacramentos se les llama sacramentos de la Iniciación.

CHAPTER 9

Sacraments of Initiation

Have you ever worked with clay? You can shape and mold clay into almost anything. You can make a soap dish, a pencil holder, or a sculpture. The best thing about working with clay is that if you are not happy with what you have made, you can reshape it to make something new. God shapes us and molds us as well. The Church helps with this shaping and molding, forming, and re-forming through Baptism, Confirmation, and the Eucharist. These sacraments are called the Sacraments of Initiation.

Sacramentos que nos dan la bienvenida

Piensa en qué se siente ser miembro de un grupo. Tal vez seas *Girl Scout*, *Boy Scout* o juegues en un equipo de *hockey*. Algunos grupos hacen ceremonias para darles la bienvenida a los miembros nuevos. La Iglesia católica tiene tres ceremonias especiales para darnnos la bienvenida en diferentes momentos de nuestra vida y seguir fortaleciéndonos como miembros de la Iglesia. Estas ceremonias son los **sacramentos de la Iniciación**. Dichos sacramentos son el Bautismo, la Confirmación y la Eucaristía. Dios nos da forma y nos transforma con estas celebraciones especiales. Él continúa moldeándonos y cambiándonos a lo largo de nuestra vida.

- El **Bautismo** es nuestra entrada a la nueva vida en la Iglesia de Jesús.
- La **Confirmación** nos sella con el Espíritu Santo. El Espíritu Santo nos ayuda a compartir lo que sabemos acerca de Jesús con los demás.
- En la **Eucaristía** recibimos el Cuerpo y la Sangre de Jesucristo, que nos hace uno con él.

> **La Iglesia Católica tiene tres ceremonias especiales para darnos la bienvenida en diferentes momentos de nuestra vida y seguir fortaleciéndonos como miembros de la Iglesia.**

El Bautismo

Los católicos a menudo utilizamos la palabra **ritual** o *rito* para describir una celebración sacramental. Durante el Ritual para el Bautismo hay gestos y palabras que nos ayudan a comprender la riqueza del sacramento. Vestida de blanco, la persona bautizada recibe la marca de la Señal de la Cruz y escucha la proclamación de la Palabra de Dios. Luego es ungida con el óleo, tanto el de los catecúmenos como el Crisma. El óleo de los catecúmenos simboliza el fortalecimiento de la persona que se prepara para el Bautismo. El santo Crisma simboliza la participación en el ministerio de Cristo. La persona que se bautiza también recibe un cirio bautismal, que se enciende con el fuego del Cirio Pascual. Estos signos, gestos y palabras proclaman la fe en la cual la persona está siendo bautizada.

El Bautismo nos libera del pecado original, el pecado con el que todos nacemos, y nos da vida nueva. Nos convertimos en miembros de nuestra comunidad parroquial y en parte del Cuerpo de Cristo. Los signos del Bautismo son el agua, el óleo, la vestidura blanca y la luz. El Bautismo puede recibirse a cualquier edad, pero no puede repetirse. Una vez que estás bautizado, eres miembro de la Iglesia para siempre.

Sacraments That Welcome Us

Think about how it feels to be a member of a group. You might be a Girl Scout, a Boy Scout, or play on a hockey team. Some groups have ceremonies to welcome you to the group. The Catholic Church has three special ceremonies that welcome us at different times in our lives and continue to strengthen us as Church members. These are the **Sacraments of Initiation.** These sacraments are Baptism, Confirmation, and Eucharist. God reshapes and re-forms us with these special celebrations. He continues to mold us and shape us throughout our lives.

- **Baptism** is our entrance into new life in Jesus' Church.
- **Confirmation** seals us with the Holy Spirit. The Holy Spirit helps us share what we know about Jesus with others.
- In the **Eucharist,** we receive the Body and Blood of Jesus Christ, which makes us one with him.

> The Catholic Church has three special ceremonies that welcome us at different times in our lives and continue to strengthen us as Church members.

Baptism

Catholics often use the word *rite* to describe a sacramental celebration. During the Rite of Baptism, there are gestures and words that help us understand the richness of the sacrament. Dressed in white, the person being baptized is signed with the Sign of the Cross and hears the proclamation of the Word of God. Then he or she is anointed with both the oil of catechumens and Chrism. The oil of catechumens symbolizes the strengthening of the person preparing for Baptism. The sacred Chrism symbolizes sharing Christ's ministry. The person being baptized is also given a baptismal candle, which is lit from the Easter candle. These signs, gestures, and words proclaim the faith into which the person is being baptized.

Baptism frees us from Original Sin, the sin we are all born with, and gives us new life. We become members of our Church community and part of the Body of Christ. The signs of Baptism are water, oil, white garments, and light. Baptism can be done at any age, but it is never repeated. Once you are baptized, you are a member of the Church forever.

Piensa y escribe

Escribe un poema acróstico usando cada una de las letras de la palabra *Bautismo* al principio de cada verso. Di en tu poema lo que sabes sobre el Bautismo.

B _____

A _____

U _____

T _____

I _____

S _____

M _____

O _____

La Confirmación

A lo largo de las Sagradas Escrituras se describe el Espíritu Santo mediante imágenes tales como el viento, el soplo, el fuego y una paloma. Estos son los signos del Espíritu Santo. El Espíritu Santo es la tercera Persona de la Trinidad, que nos llama a una relación más profunda con Jesucristo y con el Padre. Esta relación se establece y se refuerza a través del Bautismo y de la Confirmación.

> El Espíritu Santo es la tercera Persona de la Trinidad.

¿Cuáles son los signos que nos ayudan a reconocer la presencia del Espíritu Santo en la Confirmación? Veámoslos.

- **La imposición de manos:** El obispo extiende las manos sobre quienes van a ser confirmados. Invoca al Espíritu Santo para que derrame los siete dones del Espíritu en nosotros.
- **La unción con el santo Crisma:** El obispo unge la frente de quienes van a ser confirmados y dice: "Recibe por esta señal el don del Espíritu Santo".
- **El obispo:** El obispo mismo es un signo que nos indica la presencia del Espíritu Santo en la Iglesia y que se remonta hasta los tiempos de los apóstoles.

Think and Write

Write an acrostic poem using the letters of the word *Baptism* as the first letter of each line. Tell what you know about Baptism in your poem.

B _____

A _____

P _____

T _____

I _____

S _____

M _____

Confirmation

Throughout Scripture, the Holy Spirit is described by using images such as wind, breath, fire, and a dove. These are signs for the Holy Spirit. The Holy Spirit is the third Person of the Trinity who calls us into a deeper relationship with Jesus Christ and the Father. This relationship is established and reinforced through Baptism and Confirmation.

> The Holy Spirit is the third Person of the Trinity.

What are the signs that help us recognize the presence of the Holy Spirit during Confirmation? Let's take a look.

- **Laying on of hands**—The bishop extends his hands over those to be confirmed. He calls on the Holy Spirit to share the seven Gifts of the Spirit with us.
- **Anointing with the sacred Chrism**—The bishop anoints the forehead of those being confirmed and says "Be sealed with the Gift of the Holy Spirit."
- **The bishop**—The bishop himself is a sign that shows us the presence of the Holy Spirit in the Church, going all the way back to the apostles.

La Confirmación fortalece nuestra relación con Dios. Estamos llamados a vivir una vida santa como discípulos dedicados a Dios y a la misión de la Iglesia. Los signos de la Confirmación son la imposición de manos y la unción con el santo Crisma. La Confirmación solo puede ser recibida una vez, al igual que el Bautismo.

Los dones del Espíritu Santo

En el sacramento de la Confirmación recibimos estos siete dones.

sabiduría: ver la importancia de guardar a Dios como centro de nuestras vidas

entendimiento: entender el significado del mensaje de Dios

ciencia: pensar acerca de la Revelación de Dios y explorarla, y también reconocer que hay misterios de la fe que nos superan

fortaleza: tener el coraje de hacer lo que uno sabe que es correcto

consejo: ver la mejor manera de seguir el plan de Dios y tomar buenas decisiones

piedad: rezarle a Dios

temor de Dios: actitud de reverencia ante Dios, quien está siempre con nosotros y cuya amistad no queremos perder

¿Cómo reconocemos al Espíritu Santo?

¿Crees en el viento? Probablemente sí. ¿Alguna vez has visto el viento? No. El viento es invisible. Sin embargo, podemos ver lo que hace el viento. Podemos ver que sopla las hojas, dobla las ramas y hace olas en el mar. De manera similar, podemos reconocer la presencia del Espíritu Santo por la influencia o los efectos que tiene en la gente. A estos efectos los llamamos frutos del Espíritu Santo.

caridad	gozo	paz	modestia
paciencia	longanimidad	bondad	continencia
benignidad	mansedumbre	fidelidad	castidad

Confirmation strengthens our relationship with God. We are called to lead holy lives as disciples dedicated to God and the mission of the Church. The signs of Confirmation are the laying on of hands and anointing with sacred Chrism. Confirmation can only be received once, just like Baptism.

The Gifts of the Holy Spirit

In the Sacrament of Confirmation, we receive these seven gifts.

Wisdom—seeing the importance of keeping God as the center of our lives

Understanding—understanding the meaning of God's message

Knowledge—thinking about and exploring God's Revelation, and also recognizing that there are mysteries of faith beyond us

Fortitude—having the courage to do what one knows is right

Counsel—seeing the best way to follow God's plan and making good choices

Piety—praying to God

Fear of the Lord—an attitude of reverence before God who is always with us and whose friendship we do not want to lose

How Do We Recognize the Holy Spirit?

Do you believe in wind? Most likely, you do. Have you ever seen the wind? No. Wind is invisible. But we can see what wind does. We can see leaves blowing, branches bending, and waves in the ocean. In a similar way, we can recognize the presence of the Holy Spirit by the influence or effects the Spirit has on people. We call these effects the Fruits of the Holy Spirit.

love	joy	peace	modesty
patience	kindness	goodness	self-control
generosity	gentleness	faithfulness	chastity

Piensa y escribe

¿Cómo ves la acción del Espíritu Santo en las personas que conoces? Escribe acerca de una ocasión en que hayas visto a alguien manifestando un fruto del Espíritu Santo.

_____

_____

_____

¡Vívelo!

Elige dos frutos del Espíritu Santo entre los que aparecen en la página 66. Comenta cómo puedes mostrar a los demás la presencia del Espíritu Santo en ti. Por ejemplo, puedes mostrar paciencia cuando enseñas a tu hermano a atrapar una pelota de béisbol.

_____

_____

_____

La Eucaristía: nuestra comida familiar

¿Cómo son las comidas familiares en tu casa? Las comidas familiares son oportunidades para comer y compartir con otros. Las comidas son una celebración del amor familiar. La comida nos ayuda a alimentar el cuerpo. La conversación nos mantiene conectados unos con otros. La misa, la celebración de la Eucaristía, es como una comida familiar. La misa es la celebración central del culto parroquial. Como parte de la familia de Dios, es decir, el Cuerpo de Cristo, recordamos el sacrificio de Jesús. Él se hace presente ante nosotros en la Eucaristía y compartimos la Sagrada Comunión con nuestra familia de la Iglesia. Todos los domingos, al recibir la Sagrada Comunión, se nos recuerda que Dios nos ama y nos da fuerza para afrontar todos los desafíos de la vida. Para los católicos, recibir la Sagrada Comunión es el reconocimiento final de que Dios es la fuente de todo lo que necesitamos.

> **La misa es la celebración central del culto parroquial.**

Think and Write

How do you see the Holy Spirit working in people you know? Write about a time when you saw someone demonstrate a fruit of the Holy Spirit.

_____

_____

_____

Live It!

Choose two different Fruits of the Holy Spirit listed on page 66. Then tell how you can show others the presence of the Spirit in you. For example, you can show patience when teaching your brother to catch a baseball.

_____

_____

_____

Eucharist: Our Family Meal

What are family meals like in your home? Family meals are opportunities for people to eat and share. Meals are a celebration of family love. The food helps fuel our bodies. The conversation keeps us connected with one another. The Mass, the celebration of the Eucharist, is like a family meal. The Mass is the central celebration of parish worship. As part of God's family, the Body of Christ, we remember Jesus' sacrifice. He becomes present to us in the Eucharist, and we share Holy Communion with our Church family. Every Sunday, when we receive Holy Communion, we are reminded that God loves us and gives us strength to face all of life's challenges. For Catholics, receiving Holy Communion is the ultimate acknowledgment that God is our source for everything that we need.

> The Mass is the central celebration of parish worship.

La misa

La misa sigue un esquema que incluye las partes siguientes:

Ritos Iniciales: La misa comienza con unos ritos que nos ayudan a prepararnos para escuchar la Palabra de Dios y recibir a Jesucristo en la Sagrada Comunión.

Procesión de entrada: El himno de entrada es una procesión encabezada por la cruz, que representa nuestro movimiento hacia el altar de Dios.

Acto penitencial: Incluye una oración de contrición por los pecados y una petición, o pedido, de la misericordia de Dios.

Gloria: Himno de alabanza que no se canta ni durante el Adviento ni en la Cuaresma

Oración Colecta: Esta oración señala el motivo por el cual nos reunimos a celebrar y le pide a Dios su gracia.

Liturgia de la Palabra: Escuchamos la historia del plan de Dios para la Salvación en las lecturas del Antiguo y del Nuevo Testamento, proclamadas desde un libro llamado *Leccionario.*

Primera Lectura: generalmente del Antiguo Testamento

Salmo Responsorial: de los Salmos

Segunda Lectura: generalmente de una de las cartas del Nuevo Testamento

Lectura del Evangelio: proclamación de la Buena Nueva de Jesús, tomada de uno de los cuatro Evangelios (Mateo, Marcos, Lucas o Juan)

Homilía: El sacerdote o el diácono nos ayuda a entender cómo se relaciona nuestra vida con la Palabra de Dios.

Profesión de Fe: Expresamos nuestra fe y confianza en Dios —Padre, Hijo y Espíritu Santo— y en la Iglesia.

Oración universal: Ofrecemos oraciones por nuestras necesidades y las necesidades del mundo.

Liturgia de la Eucaristía: Nos reunimos alrededor del altar para preparar el banquete sagrado de la Eucaristía.

Presentación y preparación de los dones: Un cáliz (para el vino) y una patena (para la hostia) se colocan en el altar. Los miembros de la asamblea, reunidos para dar culto, llevan el pan, el vino y el agua hasta el altar.

Oración sobre las ofrendas: Durante esta oración el sacerdote reza para que este sacrificio le sea agradable a Dios.

Plegaria Eucarística: La oración comienza con el Prefacio —un canto de alabanza a Dios— y el "Santo, santo, santo". La parte más importante de la Plegaria Eucarística es la Consagración, mediante la cual el pan y el vino se convierten realmente en el Cuerpo y la Sangre de Cristo resucitado. Al final de la Plegaria Eucarística el sacerdote levanta la hostia y el cáliz y canta una canción de alabanza (la doxología final) a la Santísima Trinidad. La asamblea responde con un rotundo "Amén".

The Mass

The Mass follows a pattern that includes the following parts:

Introductory Rites: The Mass begins with rites that help us get ready to hear God's Word and receive Jesus Christ in Holy Communion.

> **Entrance Chant:** The Entrance Chant's procession, led by the cross, represents our movement toward the altar of God.

> **Penitential Act:** This includes a prayer of sorrow for sins and a petition, or request, for God's mercy.

> *Gloria:* a hymn of praise, which is not sung during Advent or Lent

> **Collect Prayer:** This prayer points out our reason for coming together to celebrate and asks God for his grace.

Liturgy of the Word: We hear the story of God's plan for Salvation in readings from the Old and New Testaments proclaimed from a book called the *Lectionary for Mass.*

> **First Reading:** generally from the Old Testament

> **Responsorial Psalm:** from the Psalms

> **Second Reading:** generally from one of the New Testament letters

> **Gospel Reading:** a proclamation of the Good News of Jesus from one of the four Gospels (Matthew, Mark, Luke, or John)

> **Homily:** The priest or deacon helps us understand how to relate our lives to God's Word.

> **Profession of Faith:** We express our faith and trust in God—the Father, Son, and Holy Spirit—and in the Church.

> **Prayer of the Faithful:** We offer prayers for our needs and the needs of the world.

Liturgy of the Eucharist: We gather around the altar to prepare the sacred meal of the Eucharist.

> **Presentation and Preparation of the Gifts:** A chalice (for the wine) and a paten (for the host) are placed on the altar. Members of the assembly, those gathered to worship, carry bread, wine, and water to the altar.

> **Prayer over the Offerings:** During this prayer, the priest prays that our sacrifice may be acceptable to God.

> **Eucharistic Prayer:** The prayer begins with the Preface—a song of praise to God—and the Holy, Holy, Holy. The most important part of the Eucharistic Prayer is the Consecration, through which the bread and wine truly become the Body and Blood of the risen Christ. At the end of the Eucharistic Prayer, the priest holds up the host and chalice and sings a song of praise (the Concluding Doxology) to the Trinity. The assembly responds with a resounding "Amen."

Rito de la Comunión: El Rito de la Comunión incluye el Padrenuestro, el Rito de la Paz, el "Cordero de Dios" y la asamblea recibe la Sagrada Comunión. Después de un breve período de silencio para dar gracias, el Rito de la Comunión termina con la Oración después de la Comunión.

Rito de Conclusión: El Rito de Conclusión incluye la despedida. El sacerdote o el diácono nos anima a irnos y vivir nuestra misión como cristianos.

Hay muchos signos y símbolos en la misa. Como católicos, utilizamos signos, símbolos y gestos para expresar nuestra fe. Los signos de la Eucaristía son el pan ázimo y el vino. El sacramento de la Eucaristía es el único sacramento de la Iniciación que podemos recibir una y otra vez. De hecho, la Iglesia nos anima a recibir la Sagrada Comunión con la mayor frecuencia posible.

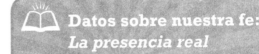

Datos sobre nuestra fe: *La presencia real*

La Eucaristía es la presencia real de Jesucristo bajo la apariencia de pan y vino. El Concilio de Trento (1545–1564 d.C.) declaró que después de la Consagración del pan y del vino, Jesucristo está real y verdaderamente presente en la Eucaristía. En el Evangelio de Juan Jesús afirma que él es el Pan de Vida, el verdadero pan bajado del Cielo para la vida del mundo (Juan 6:48–51).

¡Vívelo!

Si es posible, asiste en grupo o con tu propia familia a la misa diaria. Escribe en qué se parece la misa diaria a la dominical y en qué se diferencian. Comenta lo que sientes cuando vas a la misa diaria.

_____

_____

_____

_____

_____

_____

_____

_____

Communion Rite: The Communion Rite includes The Lord's Prayer, the Sign of Peace, the Lamb of God, and the assembly receiving Holy Communion. After a short period of silence to give thanks, the Communion Rite ends with the Prayer after Communion.

Concluding Rites: The Concluding Rites include the Dismissal. The priest or deacon encourages us to go out and live our mission as Christians.

There are many signs and symbols in the Mass. As Catholics, we use signs, symbols, and gestures to express our faith. The signs of the Eucharist are unleavened bread and wine. The Sacrament of the Eucharist is the only Sacrament of Initiation that we receive over and over again. In fact, the Church encourages us to receive Holy Communion as often as we can.

Facts of Our Faith: *Real Presence*

The Eucharist is the Real Presence of Jesus Christ under the appearance of bread and wine. The Council of Trent (A.D. 1545–1564) declared that after the Consecration of bread and wine, Jesus Christ is really and truly present in the Eucharist. In Saint John's Gospel, Jesus asserts that he is the Bread of Life, the true bread come down from Heaven for the life of the world (John 6:48–51).

Live It!

If possible, as a group or with your own family, attend a daily Mass. Write about how daily Mass was the same as or different from Sunday Mass. Tell how you felt going to a daily Mass.

_____

_____

_____

_____

_____

_____

_____

Piensa y escribe

¿En qué se parece una comida familiar a la celebración de la Eucaristía?

_____

_____

_____

Un camino diferente a la santidad

Muchos miembros de la Iglesia reciben el Bautismo en la infancia, la Primera Comunión cuando son niños pequeños y la Confirmación justo antes de, o durante, la adolescencia. Sin embargo, la Iglesia tiene otro proceso de iniciación para preparar y recibir en la Iglesia a los adultos y a los niños en edad de catequesis, por lo general a los siete años de edad. Se llama el Rito de Iniciación Cristiana de Adultos (RICA). El RICA es un período de reflexión e instrucción para aquellos que desean convertirse al catolicismo. El RICA se lleva a cabo durante muchos meses o incluso más tiempo. Los miembros del RICA son recibidos en la Iglesia durante la misa de la Vigilia Pascual. El proceso del RICA prepara a los candidatos para ser discípulos de Jesús en conjunto con su comunidad parroquial.

Datos sobre nuestra fe: *Reunidos… ¡a veces!*

En la Iglesia de los primeros siglos el Bautismo y la Confirmación se celebraban al mismo tiempo. Hoy en día a menudo hay un intervalo de varios años entre estas dos celebraciones. Este cambio ocurrió cuando el cristianismo se convirtió en religión oficial del imperio romano y aumentó mucho el número de personas que deseaban ser bautizadas. Los obispos no podían estar presentes en cada bautizo, por lo que les permitieron a los sacerdotes realizar el Bautismo, pero no la Confirmación. El Concilio Vaticano II reconoció la unidad de estos dos sacramentos y les permitió a los párrocos confirmar a los participantes del RICA en la Vigilia Pascual.

Think and Write

How is a family meal like the celebration of the Eucharist?

_____

_____

_____

A Different Path to Holiness

Many members of the Church receive Baptism as infants, First Holy Communion as young children, and Confirmation as preteens or teenagers. But the Church has another process of Initiation to prepare and welcome adults and children of catechetical age, usually seven, to the Church. It is called the Rite of Christian Initiation for Adults (RCIA). The RCIA is a period of reflection and instruction for those wishing to become Catholic. The RCIA takes place over many months or even longer. The RCIA members are welcomed into the Church during the Easter Vigil Mass. The RCIA process prepares people to be disciples of Jesus united with their Church community.

 Facts of Our Faith: *Reunited—Sometimes!*

In the early Church, Baptism and Confirmation were celebrated at the same time. Now they are often separated by many years. This change happened when Christianity became the official religion of the Roman Empire and the number of people wishing to be baptized was greatly increased. The bishops were not able to be present at every Baptism, so they allowed priests to perform Baptism, but not Confirmation. The Second Vatican Council recognized the unity of the two sacraments and allowed pastors to confirm RCIA participants at the Easter Vigil.

¿Y qué importa esto?

¿Por qué es importante que los católicos creamos en los sacramentos de la Iniciación y que los celebremos? Porque significa que podemos ser transformados y recibir la forma de la imagen de Cristo. Al celebrar estos sacramentos nos convertimos en seguidores de Jesucristo y nos unimos con él y con la Iglesia. Por el Bautismo nuestros pecados son perdonados y a través de la Confirmación somos sellados con el Espíritu Santo. En la Eucaristía, la presencia real de Jesús, encontramos la fuerza para nuestro camino. En los sacramentos de la Iniciación Dios, el alfarero, nos da una nueva forma para que seamos más parecidos a Jesús en todo lo que hacemos. Este patrón de formación y transformación continuará durante el resto de nuestra vida.

So What?

So what difference does it make that Catholics believe in and celebrate the Sacraments of Initiation? It means that we can be re-formed and shaped into the image of Christ. In celebrating these sacraments, we are formed into followers of Jesus Christ and brought into unity with him and the Church. Through Baptism, our sins are forgiven, and through Confirmation, we are sealed with the Holy Spirit. In the Eucharist—the Real Presence of Jesus— we find strength for our journey. In the Sacraments of Initiation, we are reshaped by God, the master potter, to be more like Jesus in all that we do. This pattern of re-forming and reshaping will continue the rest of our lives.

Repaso

Sagradas Escrituras

Ustedes celebrarán la fiesta de los ázimos. Porque ese día sacó el Señor a sus escuadrones de Egipto, deben celebrarlo como una tradición permanente de generación en generación.

(adaptado de Éxodo 12:17)

Oración

Dios de amor, mediante el Bautismo limpias el pecado. Espíritu Santo, en la Confirmación nos guías a lo largo del camino y nos ayudas a ser fieles. Señor Jesucristo, tú nos alimentas mediante la Eucaristía para que podamos continuar el viaje. Santísima Trinidad, gracias por estos sacramentos. Amén.

Ideas fundamentales del capítulo

- Los sacramentos de la Iniciación son el Bautismo, la Confirmación y la Eucaristía.
- Estos sacramentos nos dan forma y nos transforman en seguidores de Jesucristo, sus discípulos.
- Para los católicos la Eucaristía es la presencia real de Jesucristo.
- En la misa recordamos la vida, muerte y Resurrección de Jesús.

Palabras a memorizar

Bautismo   **Confirmación**   **Eucaristía**   ritual

Responde

Describe de qué manera son transformados quienes experimentan los sacramentos de la Iniciación.

Sacramento	¿Cómo somos transformados?
Bautismo	
Confirmación	
Eucaristía	

En casa

Comenta la siguiente pregunta con un adulto. Escribe tu respuesta.

Como familia, ¿cómo podemos hacer del domingo un día diferente a los otros días de la semana?

Review

Scripture

Keep, then, this custom of the unleavened bread. Since it was on this very day that I brought your people out of the land of Egypt, you must celebrate this day throughout your generations as a permanent tradition.

(adapted from Exodus 12:17)

Prayer

Loving God, through Baptism, you take away sin. Holy Spirit, in Confirmation, you guide us along the path and help us to be faithful. Lord, Jesus Christ, you feed us through the Eucharist so that we may continue the journey. Holy Trinity, thank you for these sacraments. Amen.

Chapter Highlights

- The Sacraments of Initiation are Baptism, Confirmation, and the Eucharist.
- These sacraments re-form and reshape us into followers of Jesus Christ, his disciples.
- For Catholics, the Eucharist is the Real Presence of Jesus Christ.
- At Mass, we remember Jesus' life, Death, and Resurrection.

Terms to Remember

Baptism   **Confirmation**   **Eucharist**   **rite**

React

Describe how those who experience the Sacraments of Initiation are changed.

Sacrament	How are we changed?
Baptism	
Confirmation	
Eucharist	

At Home

Discuss this question with a grown-up. Write your answer.

As a family, how can we make Sunday different from every other day of the week?

_____

_____

CAPÍTULO 10

Los sacramentos de la Curación

 **¿Alguna vez has tenido una pelea con un hermano, una hermana o un amigo?** ¿Qué te piden tus padres que hagas cuando esto sucede? Tal vez te pidan que digas: "Lo siento. Me doy cuenta de que me equivoqué". Tus padres también pueden pedirte que le estreches la mano a la otra persona o que la abraces. Dios nos conoce y sabe que no somos perfectos, así que nos dio el sacramento que nos ayuda cuando pecamos. Ese sacramento se llama sacramento de la Penitencia y la Reconciliación. Podemos pensar en este sacramento como una manera de decirle a Dios "lo siento". A su vez, Dios nos recuerda lo mucho que nos ama al "lavar" nuestros pecados.

CHAPTER 10

Sacraments of Healing

 Have you ever had an argument with a brother, a sister, or a friend? What do your parents ask you to do when that happens? They might ask you to say "I'm sorry. I realize that I was wrong." Your parents might also tell you to shake hands or hug each other. God knows us and knows that we are not perfect, so he gave us a sacrament to help us when we sin. That sacrament is called the Sacrament of Penance and Reconciliation. We can think of this sacrament as a way to say "I'm sorry" to God. In turn, God reminds us how much he loves us by "washing away" our sins.

El sacramento de la Penitencia y la Reconciliación

¿Alguna vez has observado a un bebé que está aprendiendo a caminar? Se pone de pie, pero se sigue tambaleando. Por lo general camina dos o tres pasos y se cae. ¿Qué hace entonces? ¿Se da por vencido y vuelve a gatear? No, se levanta y vuelve a intentarlo. Los bebés nunca se dan por vencidos cuando están aprendiendo a caminar. Tenemos que tener esa misma actitud cuando pecamos. Dios reconoce que todos los seres humanos somos imperfectos. Él está siempre dispuesto a perdonarnos y a mostrarnos su misericordia, pero tenemos que reconocer nuestros pecados y pedir perdón. Jesús nos ha dado un don que nos muestra su misericordia: el sacramento de la Penitencia y la Reconciliación.

Piensa en lo que sientes cuando tomas una mala decisión. El pecado nos separa de Dios y de los demás. Dios nos llama siempre a volver a él cuando pecamos. Se nos ha dado una nueva vida en el Bautismo. A medida que avanzamos en nuestro peregrinar en la fe, se nos invita a renovar nuestro Bautismo a través del sacramento de la Penitencia y la Reconciliación. Cada vez que recibimos este sacramento, experimentamos el perdón y la misericordia de Dios. Esto nos ayuda a acercarnos más a Jesús y a aprender a parecernos más a él cuando enfrentamos decisiones que nos tientan al pecado.

> **Dios nos llama siempre a volver a él cuando pecamos.**

El modo de experimentar el perdón de nuestros pecados en el sacramento de la Penitencia y la Reconciliación es yendo al sacerdote, confesando nuestros pecados y oyendo las palabras de perdón. Este sacramento sana y restablece nuestra relación con Dios y con nuestra comunidad. Podemos recibir este sacramento todas las veces que queramos.

Los signos de la Penitencia y la Reconciliación son las palabras que usamos y las que el sacerdote usa. Debemos estar verdaderamente arrepentidos por nuestros pecados, confesarnos con un sacerdote y estar dispuestos a corregir lo que hayamos hecho. Cuando lo hacemos, experimentamos la misericordia sanadora de Dios y su perdón.

Piensa y escribe

¿Por qué vamos a un sacerdote para confesar nuestros pecados?

_____

_____

_____

The Sacrament of Penance and Reconciliation

Have you ever watched babies who are just learning how to walk? They stand up but they are still a little wobbly. Usually they take two or three steps and fall down. What do they do next? Do they just give up and go back to crawling? They pick themselves up and try again. Babies never give up trying to learn to walk. When it comes to sin, we have to have that same attitude. God recognizes that all humans are not perfect. He is always willing to forgive us and show us his mercy, but we have to recognize our sins and ask for forgiveness. Jesus has given us a gift to show us his mercy. It is the Sacrament of Penance and Reconciliation.

Think about how you feel when you make a bad choice. Sin separates us from God and from others. God is always calling us back to him when we sin. We are given new life at Baptism. As we continue our faith journey, we are invited to renew our Baptism through the Sacrament of Penance and Reconciliation. Each time we receive this sacrament, we experience God's forgiveness and mercy. This helps us grow closer to Jesus and to learn to be more like him when we face choices that tempt us to sin.

> **God is always calling us back to him when we sin.**

In the Sacrament of Penance and Reconciliation, going to a priest, confessing our sins, and hearing the words of forgiveness are ways we can experience forgiveness from our sins. This sacrament heals and restores our relationship with God and with our community. We can receive this sacrament as often as we want.

The signs of Penance and Reconciliation are the words we use and the words the priest uses. We must be truly sorry for our sins, confess them to a priest, and be willing to fix what we have done. When we do these things, we experience God's healing mercy and forgiveness.

Think and Write

Why do we go to a priest to confess our sins?

_____

_____

_____

La liturgia de la Reconciliación

Antes de recibir el sacramento de la Penitencia y la Reconciliación, tenemos que pensar en las cosas que tal vez tengamos que confesar. Un **examen de conciencia** es el acto de mirar en nuestro corazón con actitud orante y preguntarnos en qué hemos afectado nuestras relaciones con Dios y con los demás. Reflexionamos sobre los Diez Mandamientos y las enseñanzas de la Iglesia. Cuando celebramos este sacramento, el sacerdote y la persona que confiesa sus pecados siguen estos pasos:

1. Recibimos el saludo y la bendición del sacerdote.

2. El sacerdote puede leer las Sagradas Escrituras. (opcional)

3. Confesamos nuestros pecados.

4. Para terminar, el sacerdote nos da la **penitencia**, por lo general oraciones que debemos rezar o una obra que tenemos que hacer.

5. Rezamos el Acto de Contrición.

6. El sacerdote ora para que Dios nos perdone y entonce nos da la absolución.

7. Alabamos a Dios por habernos perdonado.

8. El sacerdote nos despide.

 Datos sobre nuestra fe:
El secreto de confesión

En el sacramento de la Penitencia y la Reconciliación el sacerdote no puede contarle a nadie los pecados que la gente le ha confesado. La persona que confiesa sus pecados debe ser tratada con dignidad y respeto. Esta confidencialidad se llama "sigilo sacramental" (*Catecismo de la Iglesia Católica* 1467).

The Liturgy of Reconciliation

Before we receive the Sacrament of Penance and Reconciliation, we need to think about things we might need to confess. An **examination of conscience** is the act of looking prayerfully into our hearts to ask how we have hurt our relationships with God and with other people. We reflect on the Ten Commandments and the teachings of the Church. When celebrating this sacrament, the priest and the person confessing his or her sins follow these steps:

1. We receive a greeting and blessing from the priest.

2. The priest may read from Scripture. (optional)

3. We confess our sins.

4. The priest gives us **penance,** usually prayers to pray or an act to do, to complete.

5. We pray an Act of Contrition.

6. The priest prays that God will forgive us, and the priest gives us absolution.

7. We praise God for forgiving us.

8. The priest dismisses us.

> **Facts of Our Faith:**
> *The Seal of Confession*
>
> In the Sacrament of Penance and Reconciliation, the priest must not tell anyone else about the sins that people confess to him. The person confessing his or her sins must be treated with dignity and respect. This confidentiality is called the "sacramental seal." (*Catechism of the Catholic Church* 1467)

Las cuatro "-ción" de la Reconciliación

El sacramento de la Penitencia y la Reconciliación incluye lo siguiente:

- Contrición: Hacemos un examen de conciencia en el que nos preguntamos cómo podemos haber afectado nuestra relación con Dios y con los demás. Nos arrepentimos de nuestros pecados y nos comprometemos a tratar de no repetir los mismos pecados.
- Confesión: Le contamos al sacerdote nuestros pecados.
- Absolución: El sacerdote perdona nuestros pecados a través de las palabras de la absolución.
- Satisfacción: Mediante nuestra penitencia tratamos de reparar el daño que nuestros pecados han causado.

Piensa y escribe

Escribe algunas palabras que tú o el sacerdote podría decir durante cada parte del proceso de la reconciliación.

Contrición: _____

_____

Confesión: _____

_____

Absolución: _____

_____

Satisfacción: _____

_____

Datos sobre nuestra fe: *¿Por qué todos esos nombres?*

¿Por qué hay tantas palabras para nombrar el sacramento con el que Jesús perdona los pecados?

- Reconciliación
- Penitencia
- Penitencia y Reconciliación
- Confesión

Estos nombres se refieren todos a la misma experiencia de recibir el perdón de nuestros pecados mediante la confesión con un sacerdote. El *Catecismo de la Iglesia Católica* llama a este sacramento el sacramento de la Penitencia y la Reconciliación; ese es su nombre oficial (*Catecismo de la Iglesia Católica* 1440).

> Mediante nuestra penitencia tratamos de reparar el daño que nuestros pecados han causado.

The Four "-tions" of Reconciliation

The Sacrament of Penance and Reconciliation includes the following:

- Contrition—We examine our conscience by asking ourselves how we may have hurt our relationship with God and with others. We say we are sorry for our sins, and we promise to try not to repeat the same sins.
- Confession—We name the sins aloud to the priest.
- Absolution—The priest forgives our sins through the words of absolution.
- Satisfaction—We try to repair the damage our sins have caused by doing our penance.

Think and Write

Write some words that you or the priest might say during each part of the reconciliation process.

Contrition: _____

_____

Confession: _____

_____

Absolution: _____

_____

Satisfaction: _____

_____

Facts of Our Faith: *What's with All the Names?*

So what's with all the names for the sacrament in which Jesus forgives sins?

- Reconciliation
- Penance
- Penance and Reconciliation
- Confession

These names all refer to the same experience of receiving forgiveness of our sins through confession to a priest. The *Catechism of the Catholic Church* calls this sacrament the Sacrament of Penance and Reconciliation—so that's its official name. (*Catechism of the Catholic Church* 1440)

> **We try to repair the damage our sins have caused by doing our penance.**

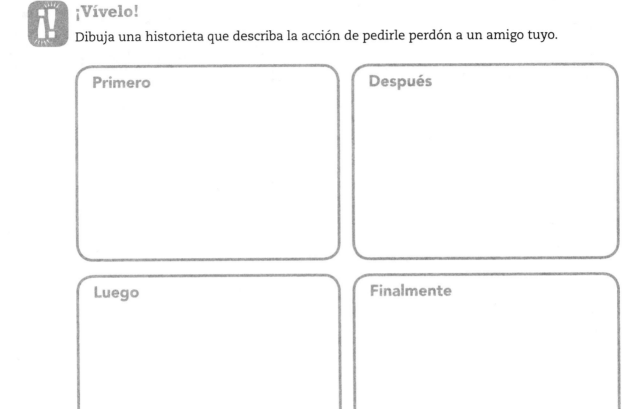

¡Vívelo!
Dibuja una historieta que describa la acción de pedirle perdón a un amigo tuyo.

| Primero | Después |
| Luego | Finalmente |

La Unción de los Enfermos

¿Qué haces para ayudar a algún familiar tuyo cuando está enfermo? Puedes orar por esa persona, asegurarte de que tenga lo necesario o hacerle compañía. Estas cosas pueden ayudarla a sentirse mejor. En nuestra fe sabemos que la oración y la espiritualidad también pueden ayudar a sanar. Hay muchas historias en la Biblia sobre la manera en que Jesús curaba. Estas curaciones eran signos de que Dios estaba actuando en el mundo. A través de otro sacramento de la Curación, la Unción de los Enfermos, celebramos la presencia de Dios a través de la curación, la compasión y la misericordia.

A través del sacramento de la Unción de los Enfermos Jesús se hace presente ante nosotros para ayudar a sanarnos. Jesús nos muestra su compasión y misericordia, alza nuestro corazón y nos llena de confianza y esperanza. Esta curación espiritual también puede ayudar a la curación física, pues nuestro ser espiritual y nuestro ser físico están conectados. A través de la Unción de los Enfermos nos damos cuenta de que Jesús está con nosotros y de que no tenemos nada que temer.

Live It!

Draw a comic strip showing how it might look to ask for forgiveness from a friend.

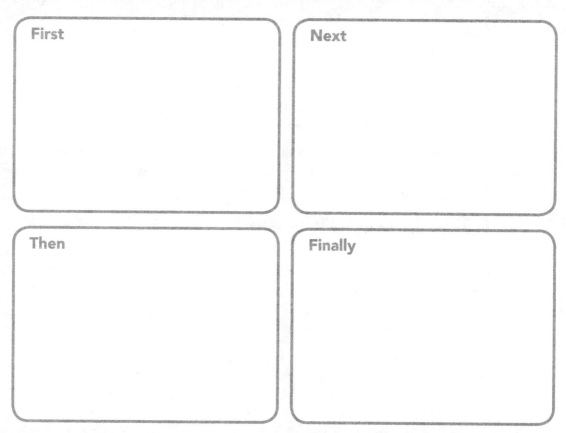

First

Next

Then

Finally

The Anointing of the Sick

If someone in your family is sick, what do you do to help? We can pray for them, make sure they have what they need, and keep them company. These things can help them feel better. In our faith, we know that prayer and spirituality can also help with healing. There are many stories in the Bible about Jesus' healing. These healings were signs of how God was working in the world. Through another sacrament of healing, the Anointing of the Sick, we celebrate God's presence through healing, compassion, and mercy.

Through the Sacrament of the Anointing of the Sick, Jesus becomes present to us to help us heal. Jesus shows us his compassion and mercy, lifts our hearts, and fills us with confidence, trust, and hope. This spiritual healing can help with physical healing as well because our spiritual and physical selves are connected. Through the Anointing of the Sick, we realize that Jesus is with us and that we have nothing to fear.

¿Para quién es este sacramento?

Si solo tienes un resfriado no necesitas este sacramento. Aunque es posible que no te sientas muy bien, no es una enfermedad grave. Este sacramento es para una persona que sufre de una enfermedad grave. Algunas personas que necesitarían ser ungidas son:

- una persona que se prepara para una operación quirúrgica
- alguien que sufre de debilidad debido a la vejez
- niños o adultos que están gravemente enfermos
- personas con enfermedades o adicciones crónicas
- personas que padecen graves problemas de salud mental

Este sacramento puede repetirse si el enfermo se recupera después de ser ungido y se enferma de nuevo o si durante la enfermedad el paciente empeora. El signo de este sacramento es el óleo sagrado, utilizado para ungir las manos y la cabeza del enfermo.

La liturgia de la Unción de los Enfermos

En el pasado la Unción de los Enfermos se consideraba algo privado y estaban presentes solo el sacerdote y el enfermo. Hoy en día la Iglesia nos exhorta a que todos seamos parte de la comunidad eclesial y alienta a familiares y amigos a estar presentes en este ritual. El ritual incluye lo siguiente:

- un rito penitencial: recordamos nuestros pecados.
- la Liturgia de la Palabra: escuchamos la Palabra de Dios.
- la imposición de manos: el sacerdote impone las manos sobre la cabeza del enfermo.
- la unción con el óleo de los enfermos: el sacerdote unge la frente y las manos del enfermo y dice: "Por esta santa unción y por tu bondadosa misericordia te ayude el Señor con la gracia del Espíritu Santo. Para que, libre de tus pecados, te conceda la Salvación y te conforte en tu enfermedad".
- el viático: a quienes están a punto de morir el sacerdote les ofrece el sacramento de la Penitencia y la Reconciliación y el de la Eucaristía. La Eucaristía que se le da a alguien que está a punto de morir se llama **viático**, que significa "comida para el viaje".

Los sacramentos de la Curación son signos de que perpetuamos el ministerio de curación que Jesús comenzó. Nosotros seguimos su ejemplo de misericordia, curación y perdón.

Los sacramentos de la Curación son signos de que perpetuamos el ministerio de curación que Jesús comenzó.

Who Is This Sacrament For?

If you have a cold, you don't need this sacrament. Although you might not feel very well, it is not a serious illness. This sacrament is for anyone suffering from a serious illness. Those to be anointed may include the following:

- a person preparing for surgery
- someone who suffers from the weakness of old age
- children or adults who are seriously ill
- people with chronic illness or addictions
- people suffering from serious mental health problems

This sacrament may be repeated if the sick person recovers after being anointed and becomes ill again or if during the illness the patient gets worse. The sign of this sacrament is the holy oil used to anoint the hands and head of the person who is sick.

The Liturgy of the Anointing of the Sick

In the past, the Anointing of the Sick was considered private and was done with just the priest and the sick person. Today, the Church celebrates the fact that we are all part of the Church community and encourages family and friends to be present for the ritual. The ritual includes the following:

- a penitential rite—we call to mind our sins.
- Liturgy of the Word—we listen to God's Word.
- laying on of hands—the priest lays his hands on the head of the sick person.
- anointing with the Oil of the Sick—the priest anoints the forehead and hands of the sick person and says "Through this holy anointing may the Lord in his love and mercy help you with the grace of the Holy Spirit. May the Lord who frees you from sin save you and raise you up."
- viaticum—for those who are close to dying, the priest offers the Sacrament of Penance and Reconciliation and the Eucharist. The Eucharist that is given to someone close to dying is called **viaticum,** which means "food for the journey."

The Sacraments of Healing are signs that we continue the ministry of healing that Jesus began. We follow his example of mercy, healing, and forgiveness.

> The Sacraments of Healing are signs that we continue the ministry of healing that Jesus began.

Piensa y escribe

Piensa en una situación en la que una persona pueda necesitar la Unción de los Enfermos. Escribe por qué crees que esa persona podría desear recibir este sacramento.

_____

_____

_____

_____

¡Vívelo!

Escribe las palabras que usarías si le enviaras una tarjeta de buenos deseos a alguien de tu parroquia que esté enfermo.

¿Y qué importa esto?

¿Por qué es importante que los católicos recibamos los sacramentos de la Curación? Los sacramentos de la Curación ofrecen una oportunidad para acercarnos más a Dios, aprender de nuestros errores y volver a nuestra relación con Dios.

Think and Write

Think about a situation in which a person might need the Anointing of the Sick.
Write why you think that person might wish to receive this sacrament.

_____

_____

_____

_____

Live It!

Write the words you would
use if you sent a get-well card
to someone who is sick in
your parish.

So What?

So what difference does it make that Catholics receive the Sacraments of Healing?
The Sacraments of Healing offer an opportunity to grow closer to God, to learn from
our mistakes, and to bring us back to our relationship with God.

Repaso

Sagradas Escrituras

Los fariseos y letrados murmuraban y preguntaban a los discípulos: "¿Cómo es que comen y beben con recaudadores de impuestos y pecadores?" Jesús les replicó: "No tienen necesidad del médico los que tienen buena salud, sino los enfermos. No vine a llamar a justos, sino a pecadores para que se arrepientan". (Lucas 5:30–32)

Oración

Señor, Jesús, tú eres el sanador de mi alma, mi cuerpo y mi espíritu. Perdona mis pecados y lléname de tu gracia. Cuando esté enfermo, con tu mano sanadora devuélveme la salud. Señor, que todos los que están enfermos y sufriendo experimenten tu toque sanador. Amén.

Ideas fundamentales del capítulo

- Los sacramentos de la Curación son el sacramento de la Penitencia y la Reconciliación y la Unción de los Enfermos.
- Creemos que confesarle en voz alta nuestros pecados a un sacerdote y oír las palabras de perdón son parte del proceso de curación.
- Estos sacramentos perpetúan el ministerio sanador de Jesús.

Palabras a memorizar

examen de conciencia   penitencia   viático

Responde

Explica cómo los pasos del sacramento de la Penitencia y la Reconciliación nos ayudan a tener una relación más cercana con Dios.

_____

_____

_____

En casa

Comenta las siguientes preguntas con un adulto. Escribe tus respuestas.

¿Qué pecados vemos en el mundo de hoy? ¿Cómo podemos mostrarles a los demás lo importante que es evitar estos pecados?

_____

_____

_____

Review

Scripture

The Pharisees and their scribes complained to his disciples, saying, "Why do you eat and drink with tax collectors and sinners?" Jesus said to them in reply, "Those who are healthy do not need a physician, but the sick do. I have not come to call the righteous to repentance but sinners."

(Luke 5:30–32)

Prayer

Lord, Jesus, you are the healer of my soul, my body, and my spirit. Forgive my sins and fill me with your grace. When I'm sick, use your healing hand and restore me to health. Lord, may all who are sick and suffering experience your healing touch. Amen.

Chapter Highlights

- The Sacraments of Healing are the Sacrament of Penance and Reconciliation and the Anointing of the Sick.
- We believe that telling our sins aloud to a priest and hearing the words of forgiveness are part of the healing process.
- These sacraments continue the healing ministry of Jesus.

Terms to Remember

examination of conscience   **penance**   **viaticum**

React

Explain how the steps in the Sacrament of Penance and Reconciliation help us have a closer relationship with God.

_____

_____

_____

At Home

Discuss these questions with a grown-up. Write your answers.

What sins do we see in the world today? How can we show others how important it is to avoid these sins?

_____

_____

_____

CAPÍTULO 11

Los sacramentos al Servicio de la Comunidad

Cuando una familia va a un restaurante, espera que se le sirva una comida agradable. Es una noche libre para toda la familia. Nadie tiene que cocinar, poner la mesa o limpiar después de la cena. El camarero o la camarera tiene un solo trabajo: servir a los comensales. Como católicos y miembros del Cuerpo de Cristo, también nosotros estamos llamados a servir a otros. El servicio de algunas personas es en el matrimonio, como marido y mujer, madre y padre. Otros sirven a la Iglesia como sacerdotes, diáconos u obispos. Los sacramentos que muestran el llamado al servicio de estas formas específicas se llaman sacramentos al Servicio de la Comunidad. Son el sacramento del Matrimonio y el sacramento del Orden.

CHAPTER 11

Sacraments at the Service of Communion

When families go to a restaurant, they want to be served a nice meal. It's a night off for the whole family. No one has to cook, set the table, or clean up after dinner. The waitperson has one job—to serve the diners. As Catholics and members of the Body of Christ, we are also called to serve. Some people serve as husband and wife, mother and father, in marriage. Others serve the Church as priests, deacons, and bishops. The sacraments that show the call to service in these specific ways are called the Sacraments at the Service of Communion. They are the Sacrament of Matrimony and the Sacrament of Holy Orders.

82   CAPÍTULO 11
Los sacramentos al Servicio
de la Comunidad

PUENTES A LA FE: PARTE 2

No se trata de nosotros

En el Bautismo nos hacemos miembros del Cuerpo de Cristo. Nuestra fe nos enseña a poner a los demás por delante de nosotros mismos. Como miembros de la Iglesia y parte de una familia de fe, se nos pide que vivamos como parte de una comunidad. Estamos llamados a ayudar y a servir a los demás desde el día en que nos convertimos en parte de la familia de Dios, el día que fuimos bautizados.

> Estamos llamados a ayudar y a servir a los demás desde el día en que nos convertimos en parte de la familia de Dios, el día que fuimos bautizados.

Este compromiso de ayudar y servir a los demás se refuerza con los sacramentos del Matrimonio y del Orden. Estos sacramentos son vocaciones. Una **vocación** es nuestro trabajo en la vida, nuestra misión y nuestro propósito. La misión de estos sacramentos es servir al Reino de Dios. Estas vocaciones les demuestran a los demás el amor desinteresado que todos los cristianos bautizados estamos llamados a compartir. Es por eso que se les llama sacramentos al Servicio de la Comunidad.

El sacramento del Orden

Los hombres que reciben el sacramento del Orden perpetúan la presencia de Jesús en la tierra según la tradición de los apóstoles. El sacramento del Orden está constituido por tres diferentes niveles, o jerarquías.

El **obispo** es el líder de una iglesia local o de una diócesis. El obispo también forma parte del Colegio Episcopal, que incluye a todos los obispos del mundo y al papa. Los obispos pueden presidir todos los sacramentos. Solo los obispos pueden ordenar a los sacerdotes. Los obispos suelen celebrar la Confirmación, a menos que el obispo le dé a un sacerdote la autoridad para hacerlo.

Algunos obispos reciben un título honorario de cardenal, lo que significa que en conjunto, como un colegio de cardenales, les sirven de asesores especiales al Papa. Los cardenales de menos de 80 años de edad también tienen la capacidad de participar en el cónclave papal, el proceso para elegir a un nuevo papa.

El **sacerdote** sirve a la comunidad de muchas maneras. Los sacerdotes presiden las liturgias. Predican, administran los sacramentos, aconsejan a las personas, sirven como pastores de una parroquia y enseñan.

El **diácono** participa en el ministerio del obispo sirviendo a las necesidades de la comunidad. Los diáconos pueden anunciar el Evangelio, predicar, enseñar, bautizar, ser testigos de los matrimonios y ayudar a los sacerdotes en las liturgias. Algunos diáconos se preparan para ser sacerdotes. Otros serán diáconos durante toda la vida. Estos diáconos se pueden casar.

It's Not About Us

At Baptism, we become members of the Body of Christ. Our faith teaches us to put others before ourselves. As members of the Church and part of a faith family, we are asked to live as part of a community. We are called to help one another and serve one another since the day we became part of God's family, the day we were baptized.

> We are called to help one another and serve one another since the day we became part of God's family, the day we were baptized.

This commitment to help and serve one another is reinforced with the Sacraments of Matrimony and Holy Orders. These sacraments are vocations. A **vocation** is our life's work, our mission, and our purpose. The mission of these sacraments is to serve the Kingdom of God. These vocations show others the selfless love that all baptized Christians are called to share. This is why they are called the Sacraments at the Service of Communion.

The Sacrament of Holy Orders

Men who receive Holy Orders help continue Jesus' presence on earth in the tradition of the apostles. The Sacrament of Holy Orders is made up of three different levels, or hierarchies.

A **bishop** is the head of a local church or diocese. He is also part of the episcopal college, which is all the bishops of the world and the pope. Bishops may preside at all the sacraments. Only bishops may ordain priests. Bishops usually celebrate Confirmation unless the bishop gives a priest the authority to celebrate it.

Some bishops receive an honorary title of cardinal, which means that together, as the college of cardinals, they serve as special advisors to the pope. Cardinals under the age of 80 are also eligible to participate in a papal conclave, the process to elect a new pope.

A **priest** serves the community in many ways. Priests preside at liturgies. They preach, administer sacraments, counsel people, serve as pastors of a parish, and teach.

A **deacon** participates in the ministry of the bishop by serving the needs of the community. Deacons may proclaim the Gospel, preach, teach, baptize, witness marriages, and assist priests at liturgies. Some deacons are preparing to become priests. Others will remain deacons for life. These deacons may be married.

83

CAPÍTULO 11
Los sacramentos al Servicio
de la Comunidad

PUENTES A LA FE: PARTE 2

La liturgia de la ordenación

En los ritos de la ordenación de obispos, sacerdotes y diáconos se usan estas palabras y acciones:

imposición de las manos: el obispo impone, o coloca, sus manos sobre la cabeza de los ordenandos.

palabras de consagración: el obispo pide a Dios que envíe al Espíritu Santo y sus dones sobre los ordenandos.

unción con óleo: los obispos son ungidos con un aceite que se les vierte sobre la cabeza, mientras que los sacerdotes son ungidos con aceite en las manos.

El signo del sacramento del Orden es la imposición de las manos.

Datos sobre nuestra fe:
El Colegio Episcopal

El Colegio Episcopal es un grupo que sigue el modelo de los doce discípulos. Jesús escogió a los discípulos e hizo a Pedro líder del grupo. Hoy en día el Papa, al igual que Pedro, es el líder de la Iglesia y los obispos son como los demás apóstoles. La tarea principal de los obispos, en conjunto con los sacerdotes, es la de "anunciar a todos el Evangelio de Dios" (*CIC* 881–888).

Piensa y escribe

Escribe cómo tu sacerdote ayuda a tu parroquia.

The Liturgy of Ordination

The rites of ordination for bishops, priests, and deacons use these words and actions:

The imposition of hands—The bishop imposes, or places, his hands on the heads of those being ordained.

The words of consecration—The bishop asks God to send the Holy Spirit and his gifts to those being ordained.

Anointing with oil—Bishops are anointed with oil that is poured on their heads, while priests are anointed with oil on their hands.

The sign of Holy Orders is the laying on of hands.

 Facts of Our Faith:
The Episcopal College

The episcopal college is a group that is modeled after the twelve disciples. Jesus chose the disciples and made Peter the head of the group. Today, the pope, just like Peter, is the leader, and the bishops are just like the other apostles. The bishop's main task, along with the priests, is "to preach the Gospel of God to all men." (*CCC* 881–888)

 Think and Write

Write how your priest helps your parish.

_____

_____

_____

_____

_____

_____

_____

_____

_____

84

CAPÍTULO 11
Los sacramentos al Servicio
de la Comunidad

PUENTES A LA FE: PARTE 2

Las autoridades de tu Iglesia

¿Quién es la autoridad de toda la Iglesia católica? El Papa es la autoridad suprema de la Iglesia. El obispo dirige tu diócesis y el párroco, tu parroquia. Todos estos líderes dedican su vida a servir a la Iglesia. Ayudan a difundir la Buena Nueva del Evangelio y son ejemplos de cómo vivir una vida de santidad.

¡Vívelo!

Escribe los nombres de las autoridades de tu Iglesia. Luego elige a uno de ellos y escríbele una nota para agradecerle por su trabajo o por algo específico que te haya llamado la atención.

Papa: _____

Nombre de tu diócesis: _____

Tu obispo: _____

Nombre de tu parroquia: _____

Tu párroco y sacerdotes: _____

Diáconos de tu parroquia: _____

Datos sobre nuestra fe: *Los símbolos del obispo*

Hay símbolos tradicionales que representan la función del obispo. Los obispos aguantan un báculo como símbolo de su función pasoral. La mitra es una especie de sombrero que simboliza la realeza de Cristo y la conexión del obispo con el papa. Los obispos llevan una cruz pectoral con una cadena alrededor del cuello para mostrar que Cristo está cerca de su corazón. Los obispos también llevan un anillo de oro en el dedo anular de la mano derecha, que simboliza su estrecha relación con el pueblo de su diócesis.

Gracias _____

_____

_____

_____

_____

_____

_____

Your Church Leaders

Who is the leader of the entire Roman Catholic Church? The pope is the leader of the Church. The bishop is the leader of your diocese, and a pastor is the leader of your parish. All of these leaders dedicate their lives to serving the Church. They help spread the good news of the Gospel and are examples of how to live a life of holiness.

 Live It!

Fill in the names of your church leaders. Then choose one person and write a note to thank him for his work.

Pope: _____

Name of your diocese: _____

Your Bishop: _____

Name of your parish: _____

Your pastor and priests: _____

Deacons in your parish: _____

📖 Facts of Our Faith: *A Bishop's Symbols*

There are traditional symbols that represent a bishop's office. A bishop holds a crosier, which is the pastoral staff to symbolize a shepherd. The miter is a head covering that symbolizes the kingship of Christ and the bishop's connection with the pope. The bishop wears a pectoral cross on a chain around his neck to show that Christ is close to his heart. The bishop also wears a gold ring on the third finger of his right hand that symbolizes a bishop's close relationship with the people of his diocese.

Thank You _____

_____

_____

_____

_____

_____

_____

_____

El sacramento del Matrimonio

El **Matrimonio** es otro ejemplo de nuestro llamado bautismal a servir a los demás. El hombre y la mujer tienen un profundo amor y se comprometen de por vida el uno con el otro y con los hijos que traen al mundo. Este amor es un signo vivo del amor que Dios tiene por todos nosotros. El Matrimonio nos recuerda a todos los bautizados que estamos llamados a amarnos y servirnos unos a otros. El Matrimonio es una **alianza** según el modelo del amor de Cristo por la Iglesia. En el Matrimonio un hombre y una mujer se unen —se hacen uno—.

El hombre y la mujer que contraen matrimonio en realidad se dan el sacramento el uno al otro al aceptar casarse en presencia del sacerdote (quien se desempeña como ministro de la Iglesia), de dos testigos y de la congregación. El Matrimonio es una señal del amor de Dios ante los ojos del mundo.

Los que se casan están llamados a amarse el uno al otro tal como Jesús nos ama a todos nosotros. Estas palabras de Jesús en el Evangelio de Juan refuerzan la importancia del amor en el sacramento del Matrimonio.

El Matrimonio nos recuerda a todos los bautizados que estamos llamados a amarnos y servirnos unos a otros.

> *Éste es mi mandamiento: que se amen unos a otros como yo los he amado. Nadie tiene amor más grande que el que da la vida por los amigos.* (Juan 15:12–13)

En ese momento Jesús les hablaba a sus discípulos, pero estas palabras se aplican al matrimonio también. La pareja promete amarse y honrarse el uno al otro. Ambos prometen cuidar el uno del otro y permanecer juntos hasta que la muerte los separe. Viven su vocación al amarse mutuamente y a sus hijos, y enseñándoles a estos la fe. Con este sacramento forman una alianza el uno con el otro y con Dios. El Espíritu Santo es la fuente del amor y fortalece el amor entre ellos.

The Sacrament of Matrimony

Matrimony, or marriage, is another example of our baptismal call to serve others. The man and woman have a deep love and a lifelong commitment to each other and the children they bring into the world. This love is a living sign of the love that God has for all of us. Marriage reminds all who are baptized that we are called to love and serve one another. Marriage is a **covenant** modeled after Christ's love for the Church. In marriage, a man and a woman become united—they become one.

The man and the woman entering into marriage actually give each other the sacrament by agreeing to marry in the presence of the priest (who serves as a minister of the Church), two witnesses, and the congregation. The marriage is a sign of God's love for the world to see.

The people in a marriage are called to love each other as Jesus loves all of us. These words of Jesus from the Gospel of John reinforce the importance of love in the Sacrament of Matrimony.

> *This is my commandment: love one another as I love you. No one has greater love than this, to lay down one's life for one's friends.*
> (John 15:12–13)

At the time, Jesus was speaking to his disciples, but these words apply to marriage also. The married couple promises to love and honor each other. They promise to take care of each other and to stay together until they are parted through death. They live out their vocation by loving each other and their children and by teaching their children about the faith. With this sacrament, they form a covenant with each other and with God. The Holy Spirit is the source of love and strengthens their love.

> **Marriage reminds all who are baptized that we are all called to love and serve one another.**

86

CAPÍTULO 11
**Los sacramentos al Servicio
de la Comunidad**

PUENTES A LA FE: PARTE 2

La liturgia del Matrimonio

La parte más importante del Ritual del Matrimonio es el consentimiento de la pareja que se casa en presencia de un ministro de la Iglesia (un sacerdote o un diácono), dos testigos y la congregación.

El sacerdote o el diácono invita a la pareja a ofrecer su consentimiento, diciendo: "Así, pues, ya que quieren establecer entre ustedes la alianza santa del Matrimonio, unan sus manos, y expresen su consentimiento delante de Dios y de su Iglesia". La pareja entonces declara públicamente su consentimiento, simbolizado también por la bendición y el intercambio de anillos. A los católicos se nos alienta a celebrar el matrimonio dentro de la Liturgia Eucarística, aunque no estamos obligados a hacerlo.

Las señales del matrimonio son el esposo y la esposa, así como la expresión pública de su consentimiento, lo cual se ve simbolizado por el intercambio de los anillos.

La iglesia doméstica

A la familia a menudo se le llama la iglesia doméstica. Los niños aprenden a adorar a Dios en familia, a amar, perdonar y trabajar juntos. Los padres les enseñan la fe católica a sus hijos. El Espíritu Santo guía a la familia para orar juntos, dar culto juntos y compartir su amor y el amor de Dios.

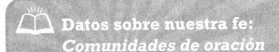

Datos sobre nuestra fe:
Comunidades de oración

Formamos una comunidad de oración cuando nos reunimos para celebrar la misa dominical. Una familia constituye una comunidad de oración cuando da las gracias antes y después de las comidas.

The Liturgy of Marriage

The most important part of the Rite of Marriage is that the couple consents to be married in the presence of a minister of the Church (a priest or deacon), two witnesses, and the congregation.

The priest or deacon invites the couple to offer their consent, saying, "Since it is your intention to enter into marriage, join your right hands and declare your consent before God and his Church." The couple then publicly states their consent, which is also symbolized by the blessing and exchanging of rings. Catholics are encouraged to celebrate their marriage within the Eucharistic liturgy, although they are not required to do so.

The signs of marriage are the husband and wife and their public expression of consent, which is further symbolized when they exchange rings.

The Domestic Church

The family is often called the domestic church. The family is where children learn to worship God, to love, to forgive, and to work together. Parents teach their children about the Catholic faith. The Holy Spirit guides the family to pray together, to worship together, and to share their love and the love of God.

Facts of Our Faith:
Communities of Prayer

We form a community of prayer when we gather together to celebrate Sunday Mass. A family forms a community of prayer when it prays grace before and after meals.

87

CAPÍTULO 11
**Los sacramentos al Servicio
de la Comunidad**

PUENTES A LA FE: PARTE 2

Piensa y escribe

¿Cómo puedes mostrarles a los demás que vives tu papel como parte de tu familia, la iglesia doméstica? Me comprometo a hacer que mi familia sea

un lugar de oración al:

_____

una comunidad de amor al:

_____

una comunidad de servicio al:

_____

una comunidad que perdona al:

_____

¡Vívelo!

Los hombres y las mujeres que se casan usan sus dones y talentos para servir a la vida en familia. Los obispos, sacerdotes y diáconos sirven a la Iglesia, las familias y las comunidades. ¿Cuáles son tus dones especiales? ¿Cómo crees que puedes usarlos para servir a Dios y ayudar a los demás?

_____

_____

¿Y qué importa esto?

¿Por qué es importante que los católicos creamos en los sacramentos del Orden y el Matrimonio y que los celebremos? Porque significa que reconocemos que ¡no se trata de nosotros! Estos dos sacramentos se llaman sacramentos al Servicio de la Comunidad. Nos recuerdan que todos estamos llamados a poner las necesidades de los demás por delante de nuestras propias necesidades.

Think and Write

How can you show others that you are living your role as part of your family—the domestic church? I promise to make my family

a place of prayer by:

_____

a loving community by:

_____

a serving community by:

_____

a forgiving community by:

_____

Live It!

Men and women who marry use their gifts and talents to serve family life. Bishops, priests, and deacons serve the Church, families, and communities. What are your special gifts? How do you think you might use them to serve God and help others?

_____

_____

So What?

So what difference does it make that Catholics celebrate the Sacraments of Holy Orders and Matrimony? It means that we recognize that it's not about me! These two sacraments are called Sacraments at the Service of Communion. They remind us that we are all called to put the needs of others before our own needs.

Repaso

Sagradas Escrituras

Pero Jesús llamó a los discípulos y les dijo: "Quien desee ser grande entre ustedes terminará por servir a los demás; quien desee ser el primero terminará por ser esclavo. No he venido a ser servido, sino a servir y a dar mi vida por muchos". (adaptado de Mateo 20:25–28)

Oración

Señor Jesús, tú nos enseñas a no servirnos a nosotros mismos, sino a servir a Dios y a los demás. Ayúdame a centrarme no en mis propias necesidades, sino en las necesidades de los demás. Bendice a nuestra Iglesia, Señor, con buenos sacerdotes y matrimonios sólidos para que juntos podamos construir nuestra comunidad de fe. Amén.

Ideas fundamentales del capítulo

- Los sacramentos al Servicio de la Comunidad son el sacramento del Matrimonio y el sacramento del Orden.
- Estos sacramentos refuerzan nuestro llamado bautismal a servir a los demás.
- El Matrimonio y el Orden son ambos vocaciones.

Palabras a memorizar

obispo   diácono   sacerdote

alianza   Matrimonio   vocación

Responde

Escribe ejemplos de por qué crees que el Matrimonio y el Orden son sacramentos al Servicio de la Comunidad.

Matrimonio _____

_____

Orden _____

_____

En casa

Comenta la siguiente pregunta con un adulto. Escribe tu respuesta.

¿Qué podemos hacer como familia para mostrar que ponemos en práctica nuestra vocación bautismal de servir a los demás?

_____

_____

Review

Scripture

But Jesus called the disciples to listen to him and said, "Whoever wishes to be great among you will be your servant; whoever wishes to be first among you will be your slave. I did not come to be served but to serve and give my life for many." (adapted from Matthew 20:25–28)

Prayer

Lord, Jesus, you teach us not to serve ourselves, but to serve God and others. Help me to focus not on my own needs, but on the needs of others. Bless our Church, Lord, with good priests and strong marriages so that together we may build our community of faith. Amen.

Chapter Highlights

- The Sacraments of Service are the Sacrament of Matrimony and the Sacrament of Holy Orders.
- These sacraments reinforce our baptismal call to serve others.
- Matrimony and Holy Orders are both vocations.

Terms to Remember

bishop	deacon	priest
covenant	Matrimony	vocation

React

Write examples of why you think Matrimony and Holy Orders are Sacraments of Service.

Matrimony _____

_____

Holy Orders _____

_____

At Home

Discuss this question with a grown-up. Write your answer.

What can we do as a family to show that we are living out our baptismal call to serve others?

_____

_____

PARTE 3

La vida moral: Vivir la fe

PART 3

The Moral Life: Living Faith

"Ustedes son la sal de la tierra: si la sal se vuelve sosa, ¿con qué se le devolverá su sabor? Sólo sirve para tirarla y que la pise la gente. Ustedes son la luz del mundo. No puede ocultarse una ciudad construida sobre un monte. No se enciende una lámpara para meterla en un cajón, sino que se pone en el candelero para que alumbre a todos en la casa. Brille igualmente la luz de ustedes ante los hombres, de modo que cuando ellos vean sus buenas obras, glorifiquen al Padre de ustedes que está en el cielo".

Mateo 5:13–16

"You are the salt of the earth. But if salt loses its taste, with what can it be seasoned? It is no longer good for anything but to be thrown out and trampled underfoot. You are the light of the world. A city set on a mountain cannot be hidden. Nor do they light a lamp and then put it under a bushel basket; it is set on a lampstand, where it gives light to all in the house. Just so, your light must shine before others, that they may see your good deeds and glorify your heavenly Father."

Matthew 5:13–16

CAPÍTULO 12

La dignidad humana, el pecado y la misericordia

 Piensa en qué siente el primer día de clases una alumna que acaba de mudarse al vecindario. No sabe dónde están los salones, qué encontrará en el comedor o si los otros alumnos le darán o no la bienvenida. Tal vez su ropa sea un poco diferente. Se queda sentada en silencio durante las primeras horas, pero ahora la ves sentada sola en una mesa al fondo del comedor. ¿Cómo crees que se siente? ¿Qué espera Dios que hagas en esta situación? A ti te toca elegir. Cuando tratamos a la gente con amabilidad, mostramos el amor y la atención de Dios. La idea de tratar a todas las personas con dignidad y respeto está en el corazón mismo de nuestra fe.

CHAPTER 12

Human Dignity, Sin, and Mercy

 Think about how a student who just moved into town feels on the first day of school. She doesn't know where her classes are, what to expect in the lunchroom, or if the other students will welcome her. Her clothes may be a little different. She sits quietly through the first few hours, but now you see her sitting all alone at a table in the back of the lunchroom. How do you think she feels? What would God expect you to do in this situation? The choice is yours. When we treat people kindly, we are showing God's love and care. The idea of treating all people with dignity and respect is at the heart of our faith.

92 **CAPÍTULO 12**
**La dignidad humana, el pecado
y la misericordia**

PUENTES A LA FE: PARTE 3

Todos iguales ante los ojos de Dios

En la parábola de Jesús sobre el Juicio Final (Mateo 25:31–46) el rey está sentado en su trono en el Cielo y recibe a todos los que han muerto. Los que ayudaron a las personas con hambre o sed, a los enfermos o desamparados, así como los que acogieron a los extranjeros y visitaron a los presos, reciben la vida eterna. Los que ignoraron a las personas necesitadas no reciben la vida eterna. El rey les dice que debieron haberlo reconocido en todo el mundo, incluso en los que sufrían. Si no nos damos cuenta de que debemos tratar a todo el mundo tal como trataríamos a Jesús, nuestro Rey, no estamos actuando como Dios nos llama a que actuemos.

Dios nos llama a obrar de forma moral. Esto quiere decir que Dios espera que tomemos una **decisión moral** entre lo que está bien y lo que está mal. Tomar decisiones morales significa reconocer la presencia de Dios en las personas que conozcamos para que podamos tratar a todo el mundo con respeto. Debemos considerar los sentimientos de los demás y no juzgarlos por su apariencia física o por la forma en que viven. El libro de Génesis nos enseña que Dios nos ha creado a su imagen.

> *Y creó Dios al hombre a su imagen; a imagen de Dios lo creó; varón y mujer los creó.* (Génesis 1:27)

La gente a veces olvida lo divino que hay en los demás. Por lo tanto, Dios nos envió a su único Hijo, Jesús, que era a la vez humano y divino, como un ejemplo para nosotros. En Mateo 25:40 Jesús explica: ". . . Les aseguro que lo que hayan hecho a uno solo de éstos, mis hermanos menores, me lo hicieron a mí". Dios quiere que tratemos a todas las personas con amor y bondad, incluyendo a quienes tengan hambre o sed, o estén desamparados o enfermos. Sabemos que Jesús, a través de su vida, Pasión, muerte y Resurrección, está presente en todas las personas.

> ". . . Les aseguro que lo que hayan hecho a uno solo de éstos, mis hermanos menores, me lo hicieron a mí".
>
> (Mateo 25:40)

 ¡Vívelo!

¿Qué puedes hacer para ayudar a los desamparados, hambrientos o ancianos? Escribe una sugerencia para cada grupo.

Desamparados: _____

Hambrientos: _____

Ancianos: _____

All Equal in the Eyes of God

In Jesus' parable of the Last Judgment (Matthew 25:31–46), the king sits upon his throne in Heaven and meets all who have died. Those who helped others when they were hungry, thirsty, sick, or homeless; welcomed strangers; and visited those in prison are given eternal life. Those who ignored people in need were not given eternal life. The king says they should have recognized him in all people, including those suffering. If we do not realize that we are to treat all people as we would treat Jesus, our king, we are not acting as God calls us to act.

God calls us to act with morality. This means God expects us to make a **moral choice** between doing what is right and what is wrong. Making moral choices means recognizing the presence of God in people we meet so that we treat each person with respect. We are to consider the feelings of another person and not judge them by how they look or how they live. The Book of Genesis teaches us that God creates us in his image.

> *God created mankind in his image; in the image of God he created them; male and female he created them.*
>
> (Genesis 1:27)

People sometimes forget about the divine in one another. So God sent his only Son, Jesus, who was both human and divine, as an example for us. In Matthew 25:40, Jesus explains "... whatever you did for one of these least brothers of mine, you did for me." God wants us to treat all people, including those who are hungry, thirsty, homeless, or sick, with love and kindness. We know that Jesus, through his life, Death, and Resurrection, is present in everyone.

> "...whatever you did for one of these least brothers of mine, you did for me."
>
> (Matthew 25:40)

Live It!

What can you do to help care for those whose are homeless, hungry, or elderly? Write one suggestion for each group.

Homeless: _____

Hungry: _____

Elderly: _____

93

CAPÍTULO 12
La dignidad humana, el pecado
y la misericordia

PUENTES A LA FE: PARTE 3

La moral católica

La esencia de la moral católica es ser respetuoso, evitar el mal y hacer el bien. Pero también es mucho más que eso. Es una de las maneras en que le damos culto a Dios. En otras palabras, nosotros le damos culto a Dios —nos alineamos con Dios— cuando vivimos una vida moral. La moral católica consiste en estar cada vez más cerca de Dios y descubrir lo divino en nuestro prójimo y en nosotros mismos. Tratamos de hacer el bien y evitar el mal. No lo hacemos para conseguir la aprobación de Dios, sino porque esto nos ayuda a alinearnos con él. Cuando pecamos, nos alejamos de Dios.

El pecado y la gracia

A la gente realmente no le gusta hablar del pecado, pero tenemos que entender el pecado porque todos pecamos. Pecar es ofender a Dios o a otros a sabiendas mediante nuestros pensamientos, palabras, acciones o cuando no actuamos de manera adecuada. Cuando entendemos lo que es el pecado, tenemos un mayor conocimiento de la necesidad que tenemos de la misericordia y la gracia increíbles de Dios.

El pecado es el ignorar, herir o rechazar nuestra relación con Dios. Puesto que Dios nos dijo que amarlo a él va de la mano con el amor al prójimo, sabemos que el pecado es también el ignorar, herir o rechazar nuestra relación con los demás. El pecado nos separa de Dios y de los demás.

La **gracia** es nuestra relación con Dios. Cuando nos encontramos en un estado de gracia, estamos en una relación sana con Dios. Estamos llenos de la vida de Dios. Por ejemplo, cuando decimos: "Dios te salve María, llena eres de gracia", estamos diciendo que María está llena de la vida de Dios y que está muy cerca de él.

La gracia no es algo que se puede ganar. Es un don de Dios. Dios está presente para nosotros. Podemos aceptar la relación o ignorarla o, peor aun, podemos rechazarla. Cuando somos bautizados, recibimos el don de la gracia de Dios. Entramos en una relación especial con Dios.

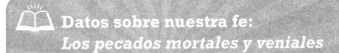

Datos sobre nuestra fe:
Los pecados mortales y veniales

La Iglesia enseña que los pecados veniales son aquellos que debilitan nuestra relación con Dios o con los demás. Los pecados veniales son menos graves que los pecados mortales, pero siguen siendo perjudiciales. Un ejemplo de un pecado venial es hablar mal acerca de un nuevo alumno de la escuela. Los pecados mortales son pecados por los cuales rompemos totalmente nuestra relación con Dios y con los demás y "matamos" la vida de gracia en nosotros. Para que un pecado sea mortal debe ser muy grave, la persona debe saber cuán grave es el pecado y debe elegir hacerlo a sabiendas. Un ejemplo de un pecado mortal es asesinar a un ser humano.

Catholic Morality

Catholic morality is about being respectful, avoiding evil, and doing good. But it is also about much more. It is one of the ways we worship God. In other words, we worship God—align ourselves with God—when we live moral lives. Catholic morality is about growing closer to God and discovering the divine within our neighbors and ourselves. We try to do good and avoid evil. We do this not to get God's approval, but because it helps us align ourselves with God. When we sin, we separate ourselves from God.

Sin and Grace

People don't really like to talk about sin, but we need to understand it because we all sin. To sin is to knowingly offend God or others through our thoughts, words, actions, or when we fail to act appropriately. When we understand sin, we have a greater understanding of our need for God's amazing mercy and grace.

Sin is the ignoring, injuring, or rejecting of our relationship with God. Because God has told us that loving him cannot be separated from love of neighbor, we know that sin is also the ignoring, injuring, or rejecting of our relationship with others. Sin separates us from God and from others.

Grace is our relationship with God. When we are in a state of grace, we are in a healthy relationship with God. We are filled with God's life. For example, when we say "Hail Mary, full of grace," we are saying that Mary is filled with God's life and that she is very close to God.

Grace is not something we can earn. It is a gift from God. God is present for us. We can either accept that relationship or we can ignore it; or worse yet, we can reject it. When we are baptized, we receive the gift of God's grace. We are welcomed into a special relationship with God.

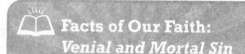 **Facts of Our Faith:**
Venial and Mortal Sin

The Church teaches that venial sins are those that weaken our relationship with God or with others. Venial sins are less serious than mortal sins, but are still harmful. An example of a venial sin is gossiping about a new student at school. Mortal sins are sins by which we totally break our relationship with God and others and "kill" the life of grace within us. For a sin to be mortal, it must be very serious, the person must know how serious the sin is, and the person freely chooses to do it. An example of a mortal sin is murdering another human being.

94

**CAPÍTULO 12
La dignidad humana, el pecado
y la misericordia**

PUENTES A LA FE: PARTE 3

 Piensa y escribe

Piensa en cómo experimentas la gracia de Dios en tu vida. Escribe un poema que describa lo que significa para ti la gracia de Dios.

_____

_____

_____

_____

Los pecados capitales

La Iglesia nos da una descripción de siete actitudes pecaminosas, conocidas como pecados capitales. Los pecados capitales perjudican nuestra salud espiritual y pueden conllevar a pecados más graves. Sin embargo, podemos superar cada uno de estos pecados mediante la práctica de una virtud, una actitud o una manera de actuar que nos ayuda a hacer el bien.

- La avaricia es querer algo tanto que no nos importe a quién le hagamos mal para conseguirlo. Al practicar la virtud de la generosidad, podemos evitar la avaricia.
- La envidia es desear las cosas de otra persona. Podemos practicar la virtud de la bondad para evitar la envidia.
- La gula es comer o beber mucho más de lo que necesitamos. Podemos practicar la virtud de la templanza para mostrar mesura.
- La lujuria es practicar una conducta sexual inapropiada. Podemos practicar la castidad, la virtud que nos ayuda a respetar nuestro cuerpo y el de los demás.
- La pereza es descuidar el crecimiento espiritual. Podemos practicar la virtud del fervor para que nos ayude.
- La ira es querer vengarse de alguien por odio. Evitamos la ira mediante la práctica de la virtud de la afabilidad.
- La soberbia es creer que somos mejores que otros. Podemos practicar la virtud de la humildad para evitar la soberbia.

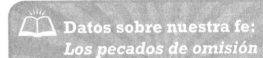 **Datos sobre nuestra fe:
*Los pecados de omisión***

Podemos también pecar al no hacer algo. Esto se conoce como pecado de omisión. En la parábola del hombre rico y Lázaro, en Lucas 16:19–21, el hombre rico no le hace mal al pobre Lázaro, que está sentado a su puerta. Pero el hecho de que el hombre rico hace caso omiso de Lázaro, vuelve al hombre rico culpable de pecado. En el Acto penitencial de la misa pedimos perdón por lo que hemos hecho y por lo que hemos dejado de hacer. Pedimos perdón por los pecados de "obra y omisión".

Think and Write

Think about how you experience grace in your life. Write a poem that describes what grace means to you.

_____

_____

_____

_____

Capital Sins

The Church gives us a description of seven sinful attitudes, known as Capital Sins. Capital Sins hurt our spiritual health and can lead us to more serious sin. However, we can overcome each of these sins by practicing a virtue, an attitude or way of acting that helps us do good.

- Greed is wanting something so badly that we don't care whom we hurt to get it. When we practice the virtue of generosity, we can avoid greed.
- Envy is wanting someone else's things. We can practice the virtue of kindness to avoid envy.
- Gluttony is eating and drinking way more than we need. We can practice the virtue of temperance to have self-control.
- Lust is doing inappropriate sexual behavior. We can practice chastity, the virtue that helps us respect our bodies and the bodies of others.
- Sloth is not caring to grow spiritually. We can practice the virtue of zeal to help us.
- Anger is wanting to get revenge because we hate someone. We avoid anger by practicing the virtue of gentleness.
- Pride is believing that we are better than others. We can practice the virtue of humility to avoid pride.

Facts of Our Faith:
Sins of Omission

We can also sin by not doing something. This is known as a sin of omission. In the parable of the rich man and Lazarus in Luke 16:19–21, the rich man doesn't do anything to harm poor Lazarus who sits at his gate. But the fact that the rich man ignores Lazarus makes the rich man guilty of sin. We pray for forgiveness from sins that we commit and sins of omission at Mass in the Penitential Rite. We ask forgiveness for "what I have done and in what I have failed to do."

95   **CAPÍTULO 12**
**La dignidad humana, el pecado
y la misericordia**

PUENTES A LA FE: PARTE 3

Piensa y escribe

Piensa en cómo puedes vencer los pecados capitales poniendo en práctica ciertas virtudes. Describe una ocasión en la que te alejaste de un pecado capital y en cambio practicaste una virtud.

_____

_____

_____

_____

La misericordia

El pecado no tiene la última palabra. Al igual que la gracia, la misericordia de Dios también se nos ofrece como un don. **Misericordia** significa compasión y bondad. La misericordia es lo que Dios siempre nos ofrece después de que pecamos. El amor misericordioso de Dios nos llama a salir del pecado y nos redime, o nos salva, de todo mal y restablece nuestra relación con él. Cuando respondemos a la misericordia de Dios con arrepentimiento y contrición, recuperamos la gracia de Dios. Nuestra relación con Dios se restablece y se fortalece.

¡Vívelo!

A veces hacemos cosas que hieren a otras peronas o a veces otros nos hacen daño a nosotros. En cualquiera de las dos situaciones podemos tratar de reparar la relación. Escribe acerca de una de tus relacione que tal vez tengas que arreglar. ¿Qué puedes hacer para pedir o dar perdón o misericordia?

_____

_____

_____

¿Y qué importa esto?

¿Por qué es importante que los católicos creamos en la dignidad humana, la gracia de Dios, el pecado y la misericordia? Porque significa que consideramos que vivir una vida moral es un acto de culto. Es una manera de alinearnos con Dios, que es amor. Significa que no podemos separar el amor a Dios del amor al prójimo. Amar al prójimo es la manera en que podemos encontrar a Dios, a cuya imagen estamos hechos. Significa que intentamos tratar a los demás con respeto y cuidado.

Think and Write

Think about how we can overcome Capital Sins by practicing virtues. Describe a time when you turned away from a Capital Sin and practiced a virtue instead.

_____

_____

_____

_____

Mercy

Sin is not the end of the story. Like grace, God's mercy is also offered to us as a gift. **Mercy** means compassion and kindness. Mercy is what God always offers us after we sin. God's merciful love calls us out of sin and redeems, or saves, us, from every evil and restores our relationship with him. When we respond to God's mercy with repentance and contrition, we are restored to God's grace. Our relationship with God is repaired and made stronger.

Live It!

Sometimes we do things to hurt other people, or sometimes other people hurt us. In either situation, we can try to restore the relationship. Write about a relationship you might need to fix. What can you do to ask for or give forgiveness or mercy?

_____

_____

_____

So What?

So what difference does it make that Catholics believe in human dignity, grace, sin, and mercy? It means that we see living a moral life as an act of worship. It is a way to align ourselves with God, who is love. It means that we cannot separate love of God and love of neighbor. Loving our neighbor is how we encounter God, in whose image we are all made. It means that we try to treat people with respect and care.

96

CAPÍTULO 12
**La dignidad humana, el pecado
y la misericordia**

PUENTES A LA FE: PARTE 3

Repaso

Sagradas Escrituras

Del corazón del hombre pueden salir malos pensamientos, fornicación, robo, asesinato, adulterio, codicia, malicia, fraude, envidia, y arrogancia. Todas esas maldades salen de dentro y contaminan.

(adaptado de Marcos 7:20–23)

Oración

Confíteor *(Acto Penitencial)*

*Yo confieso ante Dios todopoderoso
y ante ustedes, hermanos,
que he pecado mucho
de pensamiento, palabra, obra y omisión.
Por mi culpa, por mi culpa, por mi gran culpa.
Por eso ruego a santa María, siempre Virgen,
a los ángeles, a los santos
y a ustedes, hermanos,
que intercedan por mí ante Dios,
nuestro Señor.*

Ideas fundamentales del capítulo

- El amor a Dios y al prójimo no pueden separarse.
- El pecado nos aleja de Dios.
- La gracia y la misericordia son dones de Dios.

Palabras a memorizar

gracia   misericordia   decisión moral

Responde

¿Por qué estamos llamados a tratar a todas las personas con dignidad y respeto?

_____

_____

En casa

Comenta la siguiente pregunta con un adulto. Escribe tu respuesta.

¿Qué está sucediendo a tu alrededor que consideres un pecado de omisión?

_____

_____

Review

Scripture

From within people's hearts can come evil thoughts, unchastity, theft, murder, adultery, greed, malice, deceit, envy, and arrogance. All these evils come from within and they destroy.

(adapted from Mark 7:20–23)

Prayer

Confiteor *(Penitential Act)*

I confess to almighty God
and to you, my brothers and sisters,
that I have greatly sinned,
in my thoughts and in my words,
in what I have done and in what I have failed to do,
through my fault, through my fault,
through my most grievous fault;
therefore I ask blessed Mary ever-Virgin,
all the Angels and Saints,
and you, my brothers and sisters,
to pray for me to the Lord our God.

Chapter Highlights

- Love of God and love of neighbor cannot be separated.
- Sin separates us from God.
- Grace and mercy are gifts from God.

Terms to Remember

grace   mercy   moral choice

React

Why are we called to treat all people with dignity and respect?

_____

_____

At Home

Discuss this question with a grown-up. Write your answer.

What is something you think of as a sin of omission going on in the world around you?

_____

_____

CAPÍTULO 13

Reglas para vivir tu fe

Los Mandamientos, las Bienaventuranzas y las virtudes

 **¿Hay en tu salón una lista de reglas a seguir?** ¿Cuáles son las reglas más importantes? A menudo los maestros tienen reglas para mantener el orden en el salón. Por ejemplo: mantener las manos y los pies dentro de tu espacio personal, alzar la mano para levantarte del asiento y no tomarles el pelo a los demás ni intimidarlos. ¿Qué reglas te resultan fáciles de seguir? ¿Cuáles son las más difíciles? No siempre es fácil seguir las reglas, tanto en la escuela como en la vida. Pero las reglas existen para ayudarnos y protegernos. Para alinearnos con Dios tenemos que seguir las reglas que Dios nos da. A estas reglas las llamamos los Diez Mandamientos.

CHAPTER 13

Rules for Living Your Faith

The Commandments, Beatitudes, and Virtues

Does your class have a list of rules to follow? Which rules are most important? Teachers often have rules to keep order in the classroom. Some rules might be keeping hands and feet to yourself, raising your hand to get out of your seat, and no teasing or bullying. Which rules do you find easy to follow? Which are more difficult? Following the rules, in school and in life, is not always easy. But rules are in place to help and protect us. To align ourselves with God, we need to follow the rules that God gives us. We call these rules the Ten Commandments.

Un manual para la felicidad

¿Qué te hace feliz? ¿Te hace feliz recibir una A en tu boleta de calificaciones, recibir de regalo un videojuego nuevo, hablar por teléfono con tus amigos o visitar a tus abuelos?

Todos queremos ser felices. Pero, ¿cuál es el "secreto" de la verdadera felicidad, la clase de felicidad que está en lo profundo de tu interior? ¿Cómo podemos aprender ese secreto?

Dios no guarda ningún secreto. Dios nos ha dicho durante miles de años que no hay ningún secreto para encontrar la felicidad. La respuesta es simple: encontramos la felicidad siguiendo la Ley del amor de Dios. Esta ley se conoce como los Diez Mandamientos, a veces llamados también el Decálogo. Dios comparte los Diez Mandamientos libre y abiertamente. Él nos muestra el camino a la felicidad. Los Diez Mandamientos son nuestras reglas para la felicidad.

> **Los Diez Mandamientos son nuestras reglas para la felicidad.**

Dios comparte sus reglas para la felicidad

Dios le reveló este conjunto de reglas a Moisés en el Monte Sinaí, en medio de truenos y relámpagos. No era un secreto, sino una revelación. Dios se reveló ante nosotros y reveló sus leyes por medio de Moisés. Dios escribió su Ley del amor en tablas de piedra y ordenó que fueran transportadas en el Arca de la Alianza dondequiera que fuese el pueblo. Está claro que Dios no quería guardar secretos. Dios quiso compartir estas reglas con nosotros para que pudiéramos ser felices.

En el libro del Deuteronomio Dios habla de su Ley del amor y de que esta es para todos nosotros:

> *"Estas reglas no son un misterio. No son difíciles de entender. No son inalcanzables. No; estas reglas ya están a tu alcance, en tu boca y en tu corazón. Solamente tienes que cumplirlas.*

(adaptado de Deuteronomio 30:11–14)

Jesús continúa esta revelación en el Nuevo Testamento, diciendo que el reino de Dios ya está entre nosotros. Como ves, con Dios no hay secretos. El código que debemos cumplir se nos da abierta y libremente.

Handbook to Happiness

What are some things that make you happy? Does an A on your report card make you happy? What about getting a new video game? Or talking on the phone with your friends? Or visiting your grandparents?

We all wish to be happy. But what's the "secret" to real happiness, the kind of happiness that is deep inside you? How can we learn the secret?

God does not keep secrets. God has been telling us for thousands of years that there is no secret to finding happiness. The answer is simple: we find happiness in following God's Law of Love. These are known as the Ten Commandments and are sometimes called the Decalogue. God shares the Ten Commandments freely and openly. He gives us the way to happiness. The Ten Commandments are our rules for happiness.

> **The Ten Commandments are our rules for happiness.**

God Shares His Rules for Happiness

God revealed this set of rules to Moses on Mount Sinai in the midst of thunder and lightning. It was not a secret; it was a revelation. God revealed himself to us and his laws through Moses. God wrote his Law of Love on stone tablets and commanded that these be carried in the Ark of the Covenant wherever the people went. This definitely is not how you keep a secret. God wanted to share these rules with us so that we can be happy.

In the Book of Deuteronomy, God talks about his Law of Love and how it is for all of us:

> *"These rules are not mysterious. They are not difficult to understand. They are not out of your reach. No, these rules are already near to you, in your mouths and in your hearts. You need only to follow and obey them."*
> (adapted from Deuteronomy 30:11–14)

Jesus continues this revelation in the New Testament, talking about how the kingdom of God is already around us. As you can see, with God, there are no secrets. The code we are to live by is given to us openly and freely.

Piensa y escribe

Elige una de las reglas que debes seguir en tu casa. ¿Por qué es importante esa regla?

_____

_____

_____

La Ley del amor de Dios: los Diez Mandamientos

Un hombre joven y rico se acercó una vez a Jesús y le preguntó: "¿Qué debo hacer para tener vida eterna?" (adaptado de Marcos 10:17). Como muchas personas, este joven anhelaba tener más. El hombre tenía todo lo que quería en la vida, pero le faltaba algo. ¿Qué le contestó Jesús? ¡Le dijo que debía vivir los mandamientos!

Jesús continuó explicando que vivir los mandamientos significa más que simplemente seguir una lista de reglas. Es una manera de tener una relación cercana con Dios. Cuando seguimos los Mandamientos, estamos cerca de Dios. Generalmente no pensamos en las reglas como un don, pero los Diez Mandamientos son, de hecho, un don.

Moisés convocó a las autoridades. Les expuso todo lo que el Señor le había mandado a decirles. Todo el pueblo respondió: "Haremos todo lo que el Señor quiere que hagamos".

(adaptado de Éxodo 19:7–8)

> ... vivir los mandamientos significa más que simplemente seguir una lista de reglas.

Los mandamientos son la clave para mantener nuestra relación con Dios. Nosotros seguimos su Ley del amor para poder seguir disfrutando de esta relación.

Hay una gran diferencia entre "no desobedecer los mandamientos" y vivir los mandamientos. No consiste tanto en preocuparnos de no desobedecer un conjunto de reglas, sino más bien de poder utilizarlas para construir nuestra relación con Dios y con los demás. Los Diez Mandamientos son un verdadero camino para la vida. Piensa en ellos como si fueran un mapa a seguir en tu camino hacia Dios. Desde la época de san Agustín la Iglesia ha exigido que quienes se preparan para el Bautismo conozcan los Diez Mandamientos.

Think and Write

Choose one rule that is followed in your home. Why is that rule important?

_____

_____

_____

God's Law of Love: The Ten Commandments

A rich young man once approached Jesus and asked, "What must I do to have eternal life?" (adapted from Mark 10:17). Like many people, this young man was searching for more. The man had everything he wanted in life, but still he was missing something. How did Jesus respond? By telling him to live the commandments!

Jesus went on to explain that living the commandments means more than just following a list of rules. It is a way to have a close relationship with God. When we live the commandments, we stay close to God. We don't usually think of rules as a gift, but the Ten Commandments are indeed a gift.

> *Moses gathered the leaders. He told them everything that the LORD had ordered him to tell them. The people responded, "We will do everything that the LORD wants us to do."*
>
> (adapted from Exodus 19:7–8)

> . . . living the commandments means more than just following a list of rules.

The commandments are the key to maintaining our relationship with God. We follow his Law of Love so that we can continue to enjoy this relationship.

There's a big difference between "not breaking the commandments" and living the commandments. It's not so much that we should worry about breaking a set of rules, but rather how we can use them to build our relationship with God and with others. The Ten Commandments are truly a path for life. Think of them as a map to follow on your way to God. Since the time of Saint Augustine, the Church has required those preparing for Baptism to know the Ten Commandments.

Datos sobre nuestra fe: *Las leyes nos liberan*

¿Cómo, exactamente, nos liberan las leyes? Digamos que quieres ser libre para sacar una A en un examen de matemáticas. Pero tal vez te sientas atrapado, si no estás seguro de cómo resolver correctamente los problemas. Si le pides ayuda a un profesor, algún adulto, tu padre o tu madre, te ayudarán a entender los problemas enseñándote las reglas de las matemáticas. Y si sigues esas reglas, tendrás la libertad de poder disfrutar de una buena nota en el examen. De la misma manera, seguir los Diez Mandamientos nos ayuda a evitar las trampas en que podemos caer y nos liberan para que podamos amar verdaderamente a Dios y a los demás.

El Mandamiento Mayor

Alguien le preguntó a Jesús cuál era el Mandamiento Mayor. "Jesús respondió que es amar al Señor tu Dios con todo tu corazón, tu alma y tus fuerzas, y amar a tu prójimo como a ti mismo" (adaptado de Marcos 12:29–31). ¿Quiere esto decir que Jesús estaba cambiándolo todo con respecto a los Diez Mandamientos? No. Jesús estaba simplificando los Diez Mandamientos. Jesús nos ayudó a entender que el amor de Dios y el amor al prójimo no pueden separarse. Para amar a Dios, debemos amar a nuestro prójimo. Para amar a Dios, debemos vivir los mandamientos.

¿Es realmente posible amar a Dios sobre todas las cosas y amar a nuestro prójimo como a nosotros mismos? Sí, porque los Diez Mandamientos son un don y Dios no nos daría un don si no pudiéramos usarlo.

Primer Mandamiento: Yo soy el Señor, tu Dios. Amarás a Dios sobre todas las cosas.

Amar a Dios sobre todas las cosas es poner a Dios en primer lugar en nuestra vida. Ponemos a Dios por delante de la popularidad (ser invitado a una fiesta de cumpleaños), los logros (ganar el trofeo de béisbol) y las posesiones (el monopatín o animal de peluche favorito).

Segundo Mandamiento: No tomarás el nombre de Dios en vano.

Los nombres son importantes. Cuando conocemos a alguien, le decimos nuestro nombre. Es un paso importante para formar una amistad y participar en ella. Dios nos ha dado su nombre para que podamos entablar una relación con él. El Segundo Mandamiento no es solo evitar jurar, maldecir o usar malas palabras. Se trata de vivir en una relación con Dios, quien comparte su nombre para que podamos llegar a conocerlo mejor.

Facts of Our Faith:
Laws Set Us Free

How exactly do laws set us free? Let's say you want to be free to get an A on a math test. You may feel trapped, however, if you're not sure how to do word problems correctly. If you ask for help from a teacher, tutor, or parent, he or she will help you understand word problems by teaching you the math rules. And if you follow these rules, you will be free to enjoy a good grade on your test. In the same way, following the Ten Commandments helps us avoid any traps we may fall into and frees us to truly love God and others.

The Great Commandment

Someone asked Jesus what the greatest commandment was. "Jesus answered that it is to love the Lord your God with all your heart, soul, mind, and strength, and to love your neighbor as yourself" (adapted from Mark 12:29–31). Does this mean that Jesus changed everything when it comes to the Ten Commandments? No. Jesus was simplifying the Ten Commandments. Jesus helped us to understand the idea that love of God and love of neighbor cannot be separated. To love God, we must love our neighbor. To love God, we must live the commandments.

Is it truly possible to love God above all else and to love our neighbors as ourselves? Yes, because the Ten Commandments are a gift, and God would not give us a gift that we could not use.

The First Commandment: I am the Lord your God. You shall have no other gods before me.

To have no other gods besides the one true God is to put God first in our lives. We put him before popularity (getting invited to a birthday party), accomplishments (winning the baseball trophy), and possessions (your skateboard or favorite stuffed animal).

The Second Commandment: You shall not take the name of the Lord your God in vain.

Names are important. When we first meet someone, we say our name. It's an important step in forming and being part of a friendship. God has given us his name so that we can enter into a relationship with him. The Second Commandment is not just about avoiding swearing, cursing, or using bad language. It's about living in a relationship with God who shares his name so that we get to know him better.

Tercer Mandamiento: Santificarás las fiestas.

¿Sabías que en realidad los músculos no crecen durante el ejercicio? Al contrario: crecen cuando el cuerpo está en reposo después del ejercicio. Ahí es cuando los músculos se recuperan y se fortalecen. Sin descanso, los músculos no crecen. De la misma manera, sin descanso, nuestros músculos espirituales no crecen. Descansamos el día de reposo para cuidar el don que es nuestra vida. Descansamos para poder sentirnos renovados.

Cuarto Mandamiento: Honrarás a tu padre y a tu madre.

Tal vez no te guste que te digan qué hacer. Todos queremos ser independientes. Pero tenemos que rendirles cuenta a otras personas. Nuestra responsabilidad hacia los demás comienza en casa, obedeciendo a nuestros padres, cuya responsabilidad es cuidar de nosotros. El Cuarto Mandamiento nos recuerda que no tenemos la última palabra.

Quinto Mandamiento: No matarás.

La vida es un don que Dios nos ha dado. El Quinto Mandamiento consiste en ser agradecidos por ese don, desde el momento en que la vida comienza en el cuerpo de la madre hasta el momento de la muerte. Este mandamiento nos recuerda que debemos ver a Dios en todas las personas: en las que se cuelan en la fila, las que son poco amables, las que se visten de manera diferente o las que no se parecen a nosotros. Debemos apreciar la vida de todas las personas, sin importar el color de su piel ni sus tradiciones.

Sexto Mandamiento: No cometerás actos impuros.

El Sexto Mandamiento consiste en proteger algo muy bueno y valioso: nuestro cuerpo. Se trata de que debemos entregarnos adecuada y respetuosamente a los demás.

Séptimo Mandamiento: No robarás.

El Séptimo Mandamiento consiste en no tomar nada que no nos pertenezca. Esto incluye cosas evidentes como el dinero, la ropa, los juguetes y equipos deportivos. También se refiere a la tierra y al medio ambiente. Hay cosas que hemos recibido para que todos las podamos compartir, como los océanos, árboles y animales. A veces se nos olvida que compartimos estas cosas con toda la creación de Dios.

The Third Commandment: Keep holy the Sabbath day.

Did you know that muscles don't actually grow during exercise? Instead, they grow when the body is at rest after exercise. That's when muscles are restored and strengthened. Without rest, our muscles won't grow. In a similar way, without rest, our spiritual muscles won't grow. Resting on the Sabbath day is about caring for the gift of our lives. We rest so that we might be renewed.

The Fourth Commandment: Honor your father and your mother.

We may not like it when someone tells us what to do. We all want to be independent. But we still have to answer to others. Our responsibility to others begins at home, listening to our parents whose responsibility it is to care for us. The Fourth Commandment reminds us that we do not have the last say.

The Fifth Commandment: You shall not kill.

Life is a gift from God. The Fifth Commandment is about being grateful for that gift, from the moment life begins in a mother's body to the moment of death. It reminds us to see God in everyone: in the person who cuts in line in front of us, who treats us unkindly, who dresses differently, or who doesn't look like us. We should appreciate the life of all people, no matter their skin color and traditions.

The Sixth Commandment: You shall not commit adultery.

The Sixth Commandment is about protecting something very good and very precious—our bodies. It is about how we are to share ourselves appropriately and respectfully with others.

The Seventh Commandment: You shall not steal.

The Seventh Commandment is about not taking anything that does not belong to us. This includes obvious items, like money, clothes, toys, and sports equipment. It also refers to the earth and the environment. There are things that have been given for all to share, like the oceans, trees, and animals. Sometimes we forget that we share these things with all of God's creation.

Octavo Mandamiento: No darás falso testimonio ni mentirás.

El Octavo Mandamiento es más que simplemente no decir mentiras. Es vivir de manera que otros puedan confiar en nosotros y contar con nosotros.

Noveno Mandamiento: No consentirás pensamientos ni deseos impuros.

Todos tenemos necesidades y deseos. El Noveno Mandamiento nos recuerda que debemos asegurarnos de que nuestras necesidades y deseos pongan a Dios en primer lugar en nuestra vida.

Décimo Mandamiento: No codiciarás los bienes ajenos.

¿Alguna vez has visto a alguien romper una piñata? Por lo general todo el mundo corre para agarrar la mayor cantidad de caramelos, empujando de manera juguetona a los demás. El Décimo Mandamiento nos llama a ser conscientes de la codicia y la envidia, en la casa y en el mundo. Somos hermanos y hermanas, no competidores.

 ¡Vívelo!

Estamos llamados a compartir los bienes de la tierra y a proteger toda la creación de Dios: personas, animales, plantas y tierra. ¿De qué manera puedes cuidar de cada uno de estos grupos?

Personas: _____

Animales: _____

Plantas: _____

Tierra: _____

The Eighth Commandment: You shall not bear false witness against your neighbor.

The Eighth Commandment is about more than not telling lies. It is about living so that others can trust us and count on us.

The Ninth Commandment: You shall not covet your neighbor's wife.

We all have wants and desires. The Ninth Commandment reminds us to be sure that our wants and desires keep God first in our lives.

The Tenth Commandment: You shall not covet your neighbor's goods.

Have you ever seen someone break open a piñata? Usually everyone runs to grab as much candy as possible, playfully pushing others out of the way. The Tenth Commandment calls us to be aware of greed and envy, at home and throughout the world. We are brothers and sisters, not competitors.

Live It!

We are called to share the goods of the earth and to protect all of God's creation—people, animals, plants, and the earth. What is one way you can care for each of these groups?

People: _____

Animals: _____

Plants: _____

Earth: _____

Las Bienaventuranzas

Las **Bienaventuranzas** son las enseñanzas de Jesús en el Sermón de la Montaña (Mateo 5:3–10). Estas nos invitan a practicar el amor a nuestro prójimo, el perdón hacia los demás y la ayuda a los demás. Jesús nos da las Bienaventuranzas, una receta para la felicidad, que nos ayudan a vivir los Diez Mandamientos.

Bienaventurados los pobres de espíritu, porque de ellos es el Reino de los cielos. Confía primero en Dios y él te dará todo lo que necesites. El dinero y las cosas materiales no te darán una felicidad duradera.

Bienaventurados los que lloran, porque serán consolados. Es normal sentirse triste a veces; nos recuerda lo mucho que necesitamos a Dios, que siempre nos sanará.

Bienaventurados los que tienen hambre y sed de justicia, porque ellos serán saciados. Cuando creemos en la honestidad, la bondad y en hacer lo correcto, Dios nos alimenta y nos sentimos en paz.

Bienaventurados los mansos, porque poseerán la tierra. Sé amable y dulce con toda la creación de Dios. Dios te lo pagará. La intimidación, las burlas y la violencia no conducen al éxito ni a la felicidad.

Bienaventurados los misericordiosos, porque ellos alcanzarán misericordia. Ofrece amor y comprensión a todos los que rodean y preocúpate por ellos. Cuanto más des, más recibirás.

Bienaventurados los limpios de corazón, porque ellos verán a Dios. Deja que el amor sea tu motivación. Si pones a Dios primero, él se revelará ante ti.

> **Bienaventurados los que trabajan por la paz, porque ellos serán llamados hijos de Dios.**

Bienaventurados los que trabajan por la paz, porque ellos serán llamados hijos de Dios. No construyas barreras ni te apartes de los demás. Quienes construyen la paz reflejan la imagen de Dios.

Bienaventurados los perseguidos a causa de la justicia, porque de ellos es el Reino de los cielos. Defiende lo que es justo, aunque sea difícil o te sientas solo. Cuando nos tratan de forma cruel porque ponemos a Dios por delante, su grandeza se da a conocer a los demás.

Bienaventurados serán cuando los injurien, los persigan y digan contra ustedes toda clase de calumnias por mi causa. Cuando seguimos los Diez Mandamientos, nuestra recompensa es mayor y mucho más profunda que una buena sensación pasajera.

The Beatitudes

The **Beatitudes** are the teachings of Jesus in the Sermon on the Mount (Matthew 5:3–10). They invite us to practice loving our neighbors, forgiving others, and helping others. Jesus gives us the Beatitudes, a recipe for happiness, to help us live the Ten Commandments.

Blessed are the poor in spirit, for theirs is the kingdom of heaven. Depend on God first; he will give you all that you need. Money and objects will not bring lasting happiness.

Blessed are they who mourn, for they will be comforted. It's OK to be sad sometimes; it reminds us of how much we need God, who will always heal us.

Blessed are they who hunger and thirst for righteousness, for they will be satisfied. When we believe in honesty, kindness, and doing what is right, God nourishes us and we are at peace.

Blessed are the meek, for they will inherit the land. Be gentle and mild with all of God's creation. God will reward you. Bullying, teasing, and violence never lead to success or happiness.

Blessed are the merciful, for they will be shown mercy. Show love, understanding, and concern for those around you. The more you show, the more you will receive.

Blessed are the clean of heart, for they will see God. Let love be your motivation. When you put God first, he will reveal himself to you.

> **Blessed are the peacemakers, for they will be called children of God.**

Blessed are the peacemakers, for they will be called children of God. Don't build walls and separate yourself from others. Those who make peace are reflecting God's image.

Blessed are they who are persecuted for the sake of righteousness, for theirs is the kingdom of heaven. Stand up for what is right, even though it may be difficult or lonely. When we are treated unkindly for putting God first, his greatness is made known to others.

Blessed are you when they insult you and persecute you and utter every kind of evil against you (falsely) because of me. When we follow the Ten Commandments, our reward is greater and much deeper than an immediate good feeling.

¡Vívelo!

La intimidación de cualquier tipo es algo incorrecto. ¿Cuáles son algunas razones por las que ciertas personas intimidan a otras? ¿Cómo puedes mostrar que la intimidación es inaceptable?

_____

_____

_____

Las virtudes

¿Qué buenos hábitos tienes? ¿Te cepillas los dientes todas las noches antes de dormir? ¿Arreglas la cama todas las mañanas? ¿Comes fruta todos los días? Los buenos hábitos son como los músculos; hay que ejercitarlos con frecuencia para que puedan hacerse más fuertes. La Iglesia enseña siete hábitos que nos ayudan a vivir como discípulos de Jesús. A estos hábitos los llamamos **virtudes**.

Las virtudes teologales

Las virtudes teologales son la fe, la esperanza y la caridad.

La fe es la capacidad de creer en Dios y entregarle nuestra vida. Nos hace capaces de confiar en Dios completamente y aceptar todo lo que Dios ha revelado y nos ha enseñado.

La esperanza es desear todas las cosas buenas que Dios ha planeado para nosotros. La esperanza nos da la confianza de que Dios siempre estará con nosotros y que viviremos con Dios para siempre en el Cielo.

La caridad, conocida a veces como amor, implica más que los sentimientos; es la manera en que pensamos en Dios y actuamos hacia él y los demás. San Pablo escribió en 1 Corintios 13:13: "Ahora nos quedan tres cosas: la fe, la esperanza, el amor. Pero la más grande de todas es el amor".

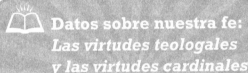

Datos sobre nuestra fe:
Las virtudes teologales y las virtudes cardinales

A la fe, la esperanza y la caridad se les llama virtudes teologales, pues proceden de Dios y conducen a Dios. A la prudencia, la justicia, la fortaleza y la templanza se les llama virtudes cardinales porque son virtudes humanas, que aprendemos a través de la educación y haciendo buenas acciones.

 **Live It!**

Bullying in any form is wrong. What are some reasons a person might be bullied? How can you show that bullying behavior is unacceptable?

_____

_____

_____

The Virtues

What good habits do you have? Do you brush your teeth before you go to bed each night? Do you make your bed every morning? Do you eat fruit every day? Good habits are like muscles; they need to be exercised often if they are to grow strong. The Church teaches seven habits that help us to live as disciples of Jesus. We call these habits **virtues.**

Theological Virtues

The Theological Virtues are faith, hope, and charity.

Faith is the ability to believe in God and give our lives to him. It makes us able to trust God completely and to accept all that God has revealed and taught us.

Hope is the desire for all the good things God has planned for us. Hope gives us confidence that God will always be with us and that we will live with God forever in Heaven.

Charity, sometimes known as love, involves more than just feelings; it is the way we think about God and act toward him and others. "So faith, hope, love remain," Saint Paul writes in 1 Corinthians 13:13, ". . . but the greatest of these is love."

 Facts of Our Faith:
Theological Virtues and Cardinal Virtues

Faith, hope, and charity are called Theological Virtues because they come from God and lead to God. Prudence, justice, fortitude, and temperance are called Cardinal Virtues because they are human virtues which we learn through education and doing good things.

Las virtudes cardinales

Las virtudes cardinales son la prudencia, la justicia, la fortaleza y la templanza.

La prudencia es la capacidad de decidir lo que es bueno y hacerlo. Nos lleva a detenernos y razonar antes de actuar.

La justicia consiste en respetar los derechos de los demás y darles lo que les pertenece. La persona justa considera las necesidades de los demás y siempre trata de ser equitativa.

La fortaleza es el valor de hacer lo correcto, incluso cuando sea muy difícil. Nos da la fuerza para resistir las tentaciones que enfrentamos.

La templanza es la capacidad de equilibrar lo que queremos con lo que necesitamos. Nos ayuda a desarrollar mesura.

Piensa y escribe

Elige dos virtudes. ¿Cómo puedes vivir cada virtud en la escuela?

_____

_____

¿Y qué importa esto?

¿Por qué es importante que los católicos creamos en los Diez Mandamientos, las Bienaventuranzas y las virtudes? Porque, a través de los Diez Mandamientos y por medio de Jesucristo, Dios nos dice abiertamente cómo debemos vivir. Las Bienaventuranzas y las virtudes nos ayudan a vivir los mandamientos. La Ley del amor de Dios, los Diez Mandamientos, es un don que nos ayuda a vivir una vida bendecida con la presencia de Dios.

Cardinal Virtues

The Cardinal Virtues are prudence, justice, fortitude, and temperance.

Prudence is the ability to decide what is good and then choose to do it. It leads us to stop and think before we act.

Justice is the respect we show for the rights of others and giving them what is rightfully theirs. The just person considers the needs of others and always tries to be fair.

Fortitude is the courage to do what is right, even when it is very difficult. It provides us the strength to resist the temptations we face.

Temperance is the ability to balance what we want with what we need. It helps us build self-control.

Think and Write

Choose two virtues. How can you live each virtue at school?

_____

_____

So What?

So what difference does it make that Catholics believe in the Ten Commandments, the Beatitudes, and the virtues? God openly tells us, through the Ten Commandments and through Jesus Christ, how we are to live. The Beatitudes and the virtues help us to live out the commandments. God's Law of Love, the Ten Commandments, is a gift that helps us to live a life that is blessed with God's presence.

Repaso

Sagradas Escrituras

Los fariseos preguntaron: "¿Cuándo llegará el reino de Dios?" Jesús respondió: "El reino de Dios no es visible. Nadie lo señalará ni anunciará que ha llegado. Ya está entre ustedes."

(adaptado de Lucas 17:20–21)

Oración

Dios, te damos gracias por el don de los Diez Mandamientos. Gracias por mostrarnos cómo debemos vivir, para que podamos permanecer en estrecha relación contigo. Amén.

Ideas principales del capítulo

- Dios revela abierta y libremente el camino a la felicidad.
- Los Diez Mandamientos son la Ley del amor de Dios.
- Las Bienaventuranzas nos ayudan a vivir de acuerdo a la Ley del amor de Dios.
- Las virtudes son siete hábitos que nos ayudan a vivir como discípulos de Jesús.

Palabras a memorizar

Bienaventuranzas   virtud

Responde

Dos maneras en las que vivo los mandamientos en mi casa:

_____

_____

Dos maneras en las que vivo los mandamientos en la escuela:

_____

_____

En casa

Comenta las siguientes preguntas con un adulto. Escribe tus respuestas.

¿Cuál de los mandamientos crees que nuestra sociedad tiene más necesidad de seguir? ¿Por qué?

_____

_____

Review

Scripture

The Pharisees asked, "When will the kingdom of God come?" Jesus replied, "The kingdom of God cannot be seen. And no one will point to it and announce that it is here. That is because it is already around you."

(adapted from Luke 17:20–21)

Prayer

Thank you, God, for the gift of the Ten Commandments. Thank you for showing us how we are to live for us to remain in close relationship with you. Amen.

Chapter Highlights

- God openly and freely reveals the way to happiness.
- The Ten Commandments are God's Law of Love.
- The Beatitudes help us live according to God's Law of Love.
- The virtues are seven habits that help us live as disciples of Jesus.

Terms to Remember

Beatitudes   virtue

React

Two ways I live out the commandments at home:

_____

_____

Two ways I live out the commandments at school:

_____

_____

At Home

Discuss these questions with a grown-up. Write your answers.

Which of the commandments do you think our society needs to follow most? Why?

_____

_____

CAPÍTULO 14

Obras de misericordia y de justicia social

Imagínate que estás jugando a la pelota cuando tu mejor amigo se cae y se tuerce el tobillo. Tu amigo no puede caminar y se le nota la hinchazón del tobillo, pero la mayoría de los niños quieren seguir jugando. ¿Qué harías tú? Lo más probable es que irías a buscar a un adulto que ayude a tu amigo. Ayudar a nuestros amigos cuando tienen algún dolor es algo que hacemos por amor. Dios espera de nosotros aun más. Él quiere que ayudemos a todas las personas necesitadas. La Iglesia católica nos da las obras de misericordia corporales y las obras de misericordia espirituales, que nos muestran cómo podemos ayudar a compartir con los demás el amor de Dios.

CHAPTER 14

Works of Mercy and Social Justice

Imagine you are playing kickball when your best friend falls and twists his ankle. Your friend can't walk, and you can see his ankle swelling up, but most of the kids want to continue playing the game. What would you do? You would most likely find a grown-up to help your friend. Helping our friends when they are hurt is something we do out of love. God expects us to take this a step further. He wants us to help all people who are in need. The Catholic Church gives us the Corporal Works of Mercy and the Spiritual Works of Mercy to show us how to help share God's love with others.

108 CAPÍTULO 14
Las obras de misericordia
y de justicia social

PUENTES A LA FE: PARTE 3

Las obras de misericordia corporales

Si tienes un sándwich para el almuerzo y a tu mejor amiga se le olvidó su almuerzo, ¿te comerías el sándwich sin ofrecerle la mitad? Probablemente no. Al compartir tu sándwich con tu amiga, estás mostrando misericordia. La misericordia es mostrar bondad, compasión y perdón hacia los demás.

No hacemos obras buenas para hacer feliz a Dios. Hacemos obras buenas porque queremos estar cerca de Dios. Al compartir con los demás, experimentamos al Dios vivo. Para mostrarnos cómo vivir en función de los demás, la Iglesia católica reconoce diferentes obras de misericordia: las obras de misericordia corporales y las obras de misericordia espirituales.

Las **obras de misericordia corporales** son formas en que podemos socorrer a diario las necesidades corporales de nuestro prójimo. Estas son algunas maneras en que podemos practicar estas obras.

Dar de comer al hambriento Lleva alimentos enlatados a los dispensarios de alimentos, comedores para pobres y otras organizaciones que dan alimentos a los hambrientos. Ofrécete como voluntario junto a tus padres.

Dar de beber al sediento Sé consciente de los métodos que se usan para que todas las personas tengan acceso a agua limpia para beber. Usa detergentes para la ropa que sean ecológicos y conserva agua cuando te cepilles los dientes o laves los platos.

Vestir al desnudo Mira en tus cajones y armarios si hay ropa en buen estado que puedas donar a la Sociedad de San Vicente de Paúl u otras organizaciones que aceptan ropa; dona ropa de bebé a quienes la necesiten; participa en colectas de ropa en tu escuela o en tu comunidad.

Dar posada al peregrino Ayuda a tus vecinos a cuidar de sus casas y hacer reparaciones; dona u ofrécete como voluntario a asociaciones como Caridades Católicas, la Campaña Católica para el Desarrollo Humano y Hábitat para la Humanidad.

Visitar y cuidar a los enfermos Pasa tiempo con los enfermos o quienes no pueden salir de su casa; tómate el tiempo de llamar, enviar una tarjeta o un correo electrónico a alguien que esté enfermo.

Redimir al cautivo Ora por las personas "prisioneras" de la soledad, la enfermedad o la vejez, o ve a visitarlas.

Enterrar a los muertos Asiste a velorios y funerales; entrega canastas de alimentos a los centros de atención; ve con tus familiares al cementerio; envía tarjetas de pésame.

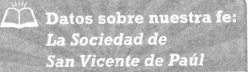

Datos sobre nuestra fe: *La Sociedad de San Vicente de Paúl*

La Sociedad de San Vicente de Paúl es una de las muchas organizaciones católicas que abordan las obras de misericordia corporales. La sociedad proporciona suministros médicos, alimentos para los necesitados, asesoramiento y programas de educación, así como otros servicios. La sociedad fue creada en París en 1833 y comenzó en los Estados Unidos en 1845, en St. Louis, Missouri. Con un adulto, investiga un poco más sobre esta sociedad, ya bien visitando su página Web o mediante tu diócesis local.

The Corporal Works of Mercy

If you had a sandwich for lunch and your best friend forgot her lunch, would you eat your sandwich without offering her half of it? Probably not. By sharing your sandwich with your friend, you are showing mercy. Mercy is showing others kindness, compassion, and forgiveness.

We do not perform good works to make God happy. We do good works because we want to be close to God. By sharing with others, we see the living God. The Catholic Church identifies for us different works of mercy—The Corporal Works of Mercy and the Spiritual Works of Mercy—to show us how to live for others.

The **Corporal Works of Mercy** are ways we can help our neighbors with everyday physical needs. Here are some ways we can practice these works.

Feed the hungry Bring canned goods to food pantries, soup kitchens, and other organizations that feed those who are hungry. Volunteer alongside your parents.

Give drink to the thirsty Be mindful of ways that ensure everyone will have clean water to drink. Use environmentally friendly laundry detergents and conserve water while brushing your teeth or doing the dishes.

Clothe the naked Go through your drawers and closets to find clothes in good condition to donate to the Society of St. Vincent de Paul or other organizations that accept clothing; donate baby clothes for babies in need; participate in clothing drives at your school or in your community.

Shelter the homeless Help neighbors to care for their homes and do repairs; donate to or volunteer for Catholic Charities, the Catholic Campaign for Human Development, and Habitat for Humanity.

Visit the sick Spend time with those who are sick or can't leave their homes; take the time to call, send a card, or e-mail someone who is sick.

Visit the imprisoned Pray for or visit people "imprisoned" by loneliness, sickness, or old age.

Bury the dead Attend wakes and funerals; provide food baskets to care centers; go with relatives to the cemetery; send sympathy cards.

Facts of Our Faith:
The Society of St. Vincent de Paul

The Society of St. Vincent de Paul is one of many Catholic organizations that addresses the Corporal Works of Mercy. The society provides medical supplies, food for those in need, counseling and education programs, and other services. The society was started in Paris in 1833 and began in the United States in St. Louis, Missouri, in 1845. With an adult, learn more about the society by checking out their web site or through your local diocese.

109

CAPÍTULO 14
Las obras de misericordia
y de justicia social

PUENTES A LA FE: PARTE 3

Piensa y escribe

Lee este versículo adaptado de Santiago 2:18: "Uno dirá: 'Tú tienes fe y yo tengo obras. Muéstrame tu fe sin obras y yo te mostraré por las obras mi fe'". Escribe lo que piensas que significa este versículo.

_____

_____

¡Vívelo!

Elige una de las obras de misericordia corporales. Escribe un plan de acción que incluya maneras de practicar esta obra de misericordia el próximo mes.

_____

_____

_____

_____

Las obras de misericordia espirituales

La Iglesia también reconoce las obras de misericordia que satisfacen las necesidades espirituales y emocionales. Estas se llaman **obras de misericordia espirituales**. A continuación aparecen algunas maneras en que podemos practicarlas.

Dar buen consejo al que lo necesita Sé positivo; ofrécete a rezar por las personas que están tristes o pasando trabajo; anima a la gente a poner su esperanza y confianza en Dios.

Enseñar al que no sabe Aprende acerca de la fe católica y comparte lo que sabes con los demás; enseña a compañeros que tengan dificultades para aprender; enseña a tus hermanos y hermanas más pequeños y léeles libros.

Corregir al que yerra Defiende las cosas en las que crees, como el tratar a los demás con respeto; si los niños se burlan o intimidan a otros, pídeles que dejen de hacerlo o pídele ayuda a un adulto; no cuentes chismes; da un buen ejemplo.

Think and Write

Read this verse adapted from James 2:18: "Someone might say: 'You have faith and I have works. Show your faith to me without works, and I will show my faith to you from my works.'" Write what you think the verse means.

_____

_____

Live It!

Choose one of the Corporal Acts of Mercy. Write an action plan for ways to practice that act of mercy during the next month.

_____

_____

_____

_____

The Spiritual Works of Mercy

The Church also identifies works of mercy to provide for spiritual and emotional needs. These are called the **Spiritual Works of Mercy.** Here are ways we can practice them.

Counsel the doubtful Be positive; offer to pray for people who are sad or struggling; encourage people to put their hope and trust in God.

Instruct the ignorant Learn about the Catholic faith and share what you know with others; tutor classmates who struggle; teach younger siblings prayers and read books to them.

Admonish sinners Stand up for things you believe in like treating others with respect; if children tease or bully, ask them to stop or get an adult to help; do not gossip; set a good example.

Consolar al triste Camina con los demás en su dolor; ofrece palabras de aliento a los que se ven desalentados y compasión a los que están de duelo.

Perdonar las injurias Ora por los que te han herido y ora para tener la valentía de poder perdonar; pide perdón a los demás; deja de lado los rencores; haz todo lo posible por tener una actitud positiva con quienes pasan momentos difíciles.

Sufrir con paciencia los defectos de los demás Trata de no criticar a los demás; pasa por alto los errores de otros; concédeles a los demás el beneficio de la duda; ora por quienes te han herido.

Rogar a Dios por vivos y difuntos Reza por tus seres queridos que han fallecido; haz una lista de las personas enfermas que conozcas y reza por ellas todos los días.

La clave de todas las obras de misericordia es que no suceden por accidente. Para que sean realidad, debemos tomar la decisión de practicarlas. Las obras de misericordia pueden cambiar la sociedad. Cuando compartimos amor misericordioso con los demás, participamos en la tarea de Dios de transformar el mundo.

 Piensa y escribe

Escribe acerca de una situación en la que podrías practicar una de las obras de misericordia espirituales.

_____

_____

_____

La enseñanza social católica

¿Qué es la justicia social? La **justicia social** consiste en asegurarnos de que la sociedad ayude a todas las personas a vivir con dignidad y respeto. La clave para la justicia social es el bien común. El bien común es el bienestar de toda la comunidad. La Iglesia católica tiene una larga tradición de mejorar la sociedad viviendo el mensaje del Evangelio. A esta tradición la llamamos enseñanza social católica. A continuación aparecen los principios de la enseñanza social católica.

La vida y la dignidad de la persona humana Toda vida humana es sagrada. Estamos llamados a respetar y valorar a las personas por encima de las cosas y a preguntarnos si lo que hacemos respeta o daña la dignidad de otros.

El llamado a la familia, la comunidad y la participación Nuestra fe y nuestra sociedad necesitan familias y comunidades sanas. Debemos apoyar y fortalecer a las familias.

Los derechos y responsabilidades Toda persona tiene derecho a la vida y a la decencia humana. Al proteger estos derechos humanos básicos, construimos una sociedad sana.

Comfort the afflicted Walk with others through their pain; offer words of encouragement to those who seem discouraged; offer sympathy to those who are grieving.

Forgive offenses Pray for those who have hurt you and pray for the courage to forgive; ask forgiveness from others; let go of grudges; go out of your way to be positive with those whom you are having a difficult time.

Bear wrongs patiently Try not to be critical of others; overlook others' mistakes; give people the benefit of the doubt; pray for those who have hurt you.

Pray for the living and the dead Say prayers for loved ones who have died; make a list of people who you know are sick and pray for them every day.

The key to all the works of mercy is that they do not happen by accident. For them to happen, we must decide to practice them. The Works of Mercy can change society. When we share merciful love with others, we share in God's work of transforming the world.

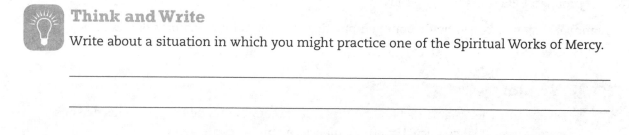

Think and Write

Write about a situation in which you might practice one of the Spiritual Works of Mercy.

_____

_____

_____

Catholic Social Teaching

What is social justice? **Social justice** is about making sure that society helps all people to live with dignity and respect. The key to social justice is the common good. The common good is the well-being of the whole community. The Catholic Church has a long tradition of making society better by living out the Gospel message. We call this tradition Catholic Social Teaching. These are the principles of Catholic Social Teaching.

Life and Dignity of the Human Person All human life is sacred. We are called to respect and value people over things and to ask whether what we do respects or harms the dignity of people.

Call to Family, Community, and Participation Our faith and society need healthy families and healthy communities. We must support and strengthen families.

Rights and Responsibilities Every person has a right to life and a right for human decency. When we protect these basic human rights, we build a healthy society.

111

CAPÍTULO 14
Las obras de misericordia
y de justicia social

PUENTES A LA FE: PARTE 3

Opción por los pobres y vulnerables En nuestro mundo muchas personas son muy ricas mientras que otras son muy pobres. Estamos llamados a tratar de satisfacer las necesidades materiales de los pobres.

La dignidad del trabajo y los derechos de los trabajadores Los trabajadores tienen derechos básicos que deben ser respetados. Entre ellos se encuentran el derecho al trabajo, al salario justo, a la propiedad privada, a organizarse y afiliarse a sindicatos y a buscar oportunidades económicas.

La solidaridad Como Dios es nuestro Padre, todos somos hermanos y hermanas, con la responsabilidad de cuidar unos de otros. La solidaridad es la actitud de compartir con los demás nuestros bienes espirituales y materiales y de saber que podemos contar unos con otros.

Cuidar de la creación de Dios Dios es el Creador de todas las personas y todas las cosas, y quiere que disfrutemos de su creación. Estamos llamados a tomar buenas decisiones que protejan toda la creación de Dios.

Cuando trabajamos con el fin de poner en práctica estos principios, vivimos el mensaje del Evangelio.

 ¡Vívelo!

Diseña una calcomanía de parachoques que transmita uno de los principios de la enseñanza social católica. Usa los siguientes ejemplos como ayuda.

Disfruta de la creación de Dios.
¡Pero mantenla limpia!

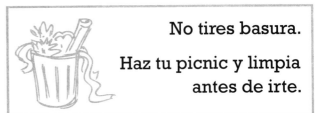
No tires basura.

Haz tu picnic y limpia antes de irte.

Option for the Poor and Vulnerable In our world, many people are very rich while others are very poor. We are called to try to meet the material needs of those who are poor.

The Dignity of Work and the Rights of Workers Workers have basic rights that must be respected. These include the right to work, to fair wages, to private property, to organize and join unions, and to look for economic opportunity.

Solidarity Because God is our Father, we are all brothers and sisters, with the responsibility to care for one another. Solidarity is the attitude to share with one another our spiritual and material goods and to know that we can count on one another.

Care for God's Creation God is the Creator of all people and all things, and he wants us to enjoy his creation. We are called to make good choices that protect all of God's creation.

When we work to apply these principles, we are living the Gospel message.

 Live It!

Design a bumper sticker that goes along with one of the principles of Catholic Social Teaching. Use the examples to help you.

Enjoy God's Creation—
But Keep It Clean!

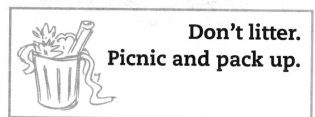

**Don't litter.
Picnic and pack up.**

Una pareja poderosa: la misericordia y la justicia

La misericordia y la **justicia** van de la mano. Ambas nos ayudan a mostrar el amor por los demás, pero la justicia va un paso más allá. Por ejemplo, cuando damos de comer a los hambrientos, estamos realizando una obra de misericordia. Pero, cuando nos esforzamos por encontrar la manera de vencer las causas del hambre, estamos trabajando por la justicia. Cuando donamos agua embotellada a una comunidad que tiene una fuente de agua contaminada, estamos haciendo una obra de misericordia. Cuando escribimos cartas a los senadores y miembros del Congreso para animarlos a purificar el suministro de agua, estamos trabajando por la justicia.

 Piensa y escribe

Por cada una de las siguientes necesidades, escribe una manera de manifestar la misericordia y una de trabajar por la justicia.

Necesidad	Misericordia	Justicia
Personas sin hogar		
Hambre		
Pobreza		
Contaminación del agua		

A Powerful Pair: Mercy and Justice

Mercy and **justice** go hand in hand. Both help us show love for others, but justice takes mercy a step further. For example, when we feed those who are hungry, we are performing a work of mercy. But when we work to find a way to get rid of causes of hunger, we are working for justice. When we donate bottled water to a community with a polluted water supply, we are doing a work of mercy. When we write letters to senators and members of Congress to encourage them to clean up the water supply, we are working for justice.

 Think and Write

For each need, write a way to show mercy and a way to work for justice.

Need	Mercy	Justice
Homelessness		
Hunger		
Poverty		
Water Pollution		

113   CAPÍTULO 14
Las obras de misericordia
y de justicia social

PUENTES A LA FE: PARTE 3

 Datos sobre nuestra fe:
Una trabajadora incansable por la justicia y la misericordia

Dorothy Day fue cofundadora del Movimiento del Trabajador Católico en 1933. Dorothy Day es un ejemplo de alguien que trabajó tanto por la misericordia como por la justicia. Creó casas para las personas desamparadas y participó en manifestaciones a favor de los derechos de los trabajadores. Fue un ejemplo extraordinario del Evangelio en acción.

 ¡Vívelo!

Escribe en tiras de papel actos de misericordia y formas de trabajar por la justicia. Colócalas en dos recipientes: Taza de la misericordia y Frasco de la justicia. A medida que avances en tu camino de la fe, elige cada semana una tira de papel en uno de los recipientes. Durante la siguiente semana encuentra una manera de actuar de modo que satisfaga dicha necesidad.

 ¿Y qué importa esto?

¿Por qué es importante que los católicos creamos en las obras de misericordia y en la justicia social? Porque quiere decir que nos sentimos solidarios con todas las personas y que al manifestarles misericordia a los demás, participamos del amor de Dios hacia el mundo.

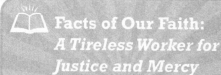

Facts of Our Faith: *A Tireless Worker for Justice and Mercy*

Dorothy Day cofounded the Catholic Worker Movement in 1933. Dorothy Day is an example of a person who worked for both mercy and justice. She opened houses for homeless people, and she took part in demonstrations for workers' rights. She is an amazing example of the Gospel in action.

Live It!

Write acts of mercy and ways to work for justice on strips of paper. Place them in a Mercy mug and a Justice jar. As you continue your journey of faith, choose a slip of paper from one jar each week. During the following week, find a way to act on the need you chose.

So What?

So what difference does it make that Catholics believe in works of mercy and social justice? It means that we feel solidarity with all people, and that by showing mercy to others, we share in God's love of the world.

CAPÍTULO 14
**Las obras de misericordia
y de justicia social**

114

PUENTES A LA FE: PARTE 3

Repaso

Sagradas Escrituras

Un samaritano que iba de camino llegó adonde estaba, lo vio y se compadeció. Le echó aceite y vino en las heridas y se las vendó. Después, montándolo en su cabalgadura, lo condujo a una posada y lo cuidó. Al día siguiente sacó dos monedas, se las dio al dueño de la posada y le encargó: "Cuida de él, y lo que gastes te lo pagaré a la vuelta". ¿Quién de los tres te parece que se portó como prójimo del que cayó en manos de los asaltantes? Contestó: "El que lo trató con misericordia." Y Jesús le dijo: "Ve y haz tú lo mismo". (Lucas 10:33–37)

Oración

Santísima Trinidad, ayúdame a compartir generosamente con los demás y a ayudarlos en sus necesidades físicas y espirituales. Amén.

Ideas principales del capítulo

- Las obras de misericordia corporales atienden las necesidades materiales de la gente.
- Las obras espirituales de misericordia atienden las necesidades emocionales y espirituales de la gente.
- Cuando realizamos obras de misericordia, vivimos el mensaje del Evangelio.
- Los principios de la enseñanza social católica se basan en esforzarnos por lograr justicia para todos.

Palabras a memorizar

obras de misericordia corporales
justicia

justicia social
obras de misericordia espirituales

Responde

Dos maneras en que puedo promover la justicia social en mi comunidad:

_____

_____

En casa

Comenta la siguiente pregunta con un adulto. Escribe tu respuesta.

¿Cuál es uno de los principios de la enseñanza social católica que se practica en tu comunidad?

_____

_____

Review

Scripture

But a Samaritan traveler who came upon him was moved with compassion at the sight. He approached the victim, poured oil and wine over his wounds and bandaged them. Then he lifted him up on his own animal, took him to an inn and cared for him. The next day he took out two silver coins and gave them to the innkeeper with the instruction, "Take care of him. If you spend more than what I have given you, I shall repay you on my way back." Which of these three, in your opinion, was neighbor to the robbers' victim? He answered, "The one who treated him with mercy." Jesus said to him, "Go and do likewise." (Luke 10:33–37)

Prayer

Holy Trinity, help me to unselfishly share with others and help with their physical and spiritual needs. Amen.

Chapter Highlights

- The Corporal Works of Mercy address the physical needs of people.
- The Spiritual Works of Mercy address the emotional and spiritual needs of people.
- When we perform acts of mercy, we are living out the Gospel message.
- Catholic Social Teaching principles are based on working for justice for all people.

Terms to Remember

Corporal Works of Mercy

justice

social justice

Spiritual Works of Mercy

React

Two ways I can promote social justice in my community:

_____

_____

At Home

Discuss this question with a grown-up. Write your answer.

What is one principle of Catholic Social Teaching you see being practiced in your community?

_____

_____

CAPÍTULO 15

La conciencia y la toma de decisiones

 **Imagínate que mañana tienes una prueba importante de ciencias.** Has estudiado mucho y te sientes preparado para afrontarla. Sabes que tu amigo Matt no ha estudiado en absoluto para la prueba. Ha estado trabajando toda la semana en un proyecto de historia y se le olvidó estudiar para el examen de ciencias. Al llegar a la escuela por la mañana, Matt te pregunta si lo dejarías copiar las respuestas de la prueba mientras que la haces. ¿Qué piensas acerca de lo que Matt te está pidiendo que hagas? ¿Cómo puedes tomar una decisión correcta? ¿Qué te dice esa vocesita interior que debes hacer?

CHAPTER 15

Conscience and Decision Making

 Imagine you have a big science test in class tomorrow. You have studied hard and feel prepared to take it. You know your friend Matt has not studied at all for the test. He has been working all week on a history project and forgot to study for the science test. When you get to school in the morning, Matt asks if you will let him see your test as you take it so that he can copy the answers. What do you think about what Matt is asking you to do? How can you make the right choice? What is that little voice in your head telling you to do?

Mira antes de saltar

Cuando tienes que tomar una decisión difícil, ¿cómo decides lo que debes hacer? Ese pensamiento o esa voz interior que te ayuda a tomar decisiones es tu **conciencia**. Tu conciencia es la que te guía a hacer lo correcto en la mayoría de las situaciones. La conciencia es un don que puede guiarnos a través de la vida. Debemos tener una conciencia bien formada para poder tomar decisiones que nos mantengan cerca de Dios. Comenzamos a aprender el bien y el mal con nuestros padres, familiares y maestros. Seguimos desarrollando una buena conciencia durante toda nuestra vida. Una conciencia bien formada puede ayudarnos a elegir antes de obrar. Nuestra conciencia nos ayuda a considerar varias opciones y a decidir si fueron buenas o malas después de haber actuado.

La formación de tu conciencia

¿Cómo puedes entonces trabajar en la formación de una buena conciencia, que entienda la diferencia entre el bien y el mal? La Iglesia entiende que siempre debemos escuchar nuestra conciencia. A continuación aparecen algunas formas básicas de formar la conciencia:

- aprender de nuestros errores y los de los demás
- orarle al Espíritu Santo pidiéndole que nos guíe
- leer y escuchar las Sagradas Escrituras
- aprender las enseñanzas de la Iglesia y tomarlas en serio
- pensar en cómo nuestras decisiones pueden afectar a otras personas

 Piensa y escribe

Tú y tu hermano juegan a lanzar la pelota en la sala de la casa. Tu padre siempre les pide que no lancen la pelota dentro de la casa. Tú lanzas la pelota y esta pega contra el marco de un cuadro. El marco se cae y se rompe. Escribe sobre lo que harías en esta situación.

_____

_____

_____

¡Vívelo!

Imagina que tienes una amiga que a veces te pide que hagas cosas que están mal. ¿Qué puedes decirle para que entienda por qué tú quieres tomar buenas decisiones?

_____

_____

Look Before You Leap

When you have a difficult choice to make, how do you decide what to do? The thinking, or voice inside your head, that helps you decide is your **conscience.** Your conscience is what guides you to do the right thing in most situations. Conscience is a gift that can guide us through life. Our conscience must be formed so that we make choices that keep us close to God. We begin to learn right from wrong from our parents, family members, and teachers. We continue to develop a good conscience through our whole lives. A well-formed conscience can help us choose before we act. Our conscience also helps us look at our choices and decide if they were good or bad after we act.

Forming Your Conscience

So how do you work on forming a good conscience—one that understands the difference between right and wrong? The Church understands that we must always listen to our own consciences. Here are some basic ways to form a conscience:

- Learn from our mistakes and those of others.
- Pray to the Holy Spirit for guidance.
- Read and listen to Scripture.
- Learn and take to heart the teachings of the Church.
- Think about what our decisions might do to other people.

Think and Write

You and your brother were throwing a ball around the living room. Your dad always asks you not to throw a ball in the house. You throw the ball and it hits a picture frame. The frame falls and breaks. Write about what you would do in this situation.

_____

_____

_____

Live It!

Imagine you have a friend who sometimes asks you to do things that are wrong. What can you say so that she understands why you want to make good choices?

_____

_____

Utiliza tu ingenio

Piensa si alguna vez tus padres te han hecho esta pregunta: "¿En qué estabas pensando?". Los padres suelen preguntar esto después de descubrir que sus hijos han tomado una decisión equivocada. Hacen la pregunta a pesar de que ya saben que su hijo probablemente no pensó para nada en su decisión.

El tomar buenas decisiones morales nos obliga a razonar antes de actuar. Estamos llamados a amar a nuestro Señor Dios con todo nuestro corazón, alma, mente y fuerzas. Esto quiere decir que las opciones y decisiones que tomamos en la vida exigen que razonemos antes de actuar.

¿Qué tipo de razonamiento es necesario hacer para tomar una buena decisión moral? A pesar de que las decisiones en sí mismas no son fáciles, los pasos que se pueden seguir sí lo son. A continuación aparecen tres preguntas que puedes hacerte cuando tienes que tomar una decisión:

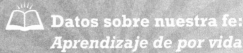

Datos sobre nuestra fe: *Aprendizaje de por vida*

Puesto que sabemos que seguir a Jesús exige fe y razonamiento, tratamos de seguir aprendiendo acerca de nuestra fe y de cómo formar nuestra conciencia durante toda la vida. Mucha gente piensa que la Confirmación es como la ceremonia de graduación de la educación religiosa. ¡No es así! El proceso de formación de la conciencia empieza en nuestra juventud, pero debemos continuar este proceso durante toda la vida.

- ¿Estoy eligiendo algo bueno? Por ejemplo: Claire encuentra un sombrero en el patio de recreo. Piensa que el sombrero es muy bonito, pero decide llevarlo a la caja de objetos perdidos.
- ¿Elijo hacerlo por los motivos correctos? Claire sabe que el sombrero no es de ella. El dueño lo buscará.
- ¿Elijo hacerlo en el momento y el lugar precisos? Claire lleva el sombrero a la caja de objetos perdidos de inmediato para ayudar a una persona a encontrar su sombrero lo más pronto posible.

Piensa y escribe

Piensa en una ocasión en la que tuviste que tomar una decisión difícil. Explica cómo podrías utilizar las tres preguntas anteriores si tuvieses que tomar de nuevo la misma decisión. Di si tu decisión sería la misma o no, y por qué.

_____

_____

_____

_____

Put On Your Thinking Cap

Have your parents ever asked "What were you thinking?" Parents usually ask this after they have found their children making a poor decision. They ask the question even though they know the child probably didn't give his or her decision much thought at all.

Good, moral decision making requires us to think before we act. We are called to love the Lord God with our entire heart, soul, mind, and strength. This means that the choices and decisions we make in life require thinking before we act.

What kind of thinking goes into making a good moral choice? Although the choices themselves are not easy, the steps we can use are. Here are three questions you can ask yourself when you have a decision to make:

- Is the thing I'm choosing to do a good thing? For example, Claire finds a hat on the playground. She thinks the hat is really nice, but decides to bring it to the Lost and Found box.
- Am I choosing to do it for the right reasons? Claire knows that the hat is not hers. The owner will be looking for it.
- Am I choosing to do it at the right time and place? Claire brings the hat to the Lost and Found box right away to help a person find her hat as soon as possible.

> ## Facts of Our Faith:
> *Lifelong Learning*
>
> Because we know that following Jesus requires faith and thinking, we try to continue learning about our faith and forming our conscience throughout our entire lives. Many people think that Confirmation represents our graduation from religious education. Not so! The process of conscience formation begins when we are very young, but we need to continue this process throughout our lives.

Think and Write

Think of a time when you had to make a difficult decision. Explain how you would use the three questions above if you had to make the decision again. Tell if your decision would be the same or different and why.

_____

_____

_____

_____

¿Qué haría Jesús?

Jesús vino a la tierra y se hizo hombre. Como hombre, a menudo tuvo que enfrentar decisiones difíciles, al igual que todos nosotros. ¿Qué hizo Jesús cuando tuvo que enfrentar decisiones difíciles? Este pasaje del Evangelio de Mateo puede ayudarnos a entenderlo.

> **¿Qué hizo Jesús cuando tuvo que enfrentar decisiones difíciles?**

El Espíritu Santo guio a Jesús al desierto durante 40 días y 40 noches. Jesús ayunó: no comió nada durante todo ese tiempo. El Diablo lo tentó tres veces. La primera vez le pidió que convirtiera las piedras en pan. Jesús dijo: "No sólo de pan vive el hombre, sino de toda palabra que sale de la boca de Dios".

En la siguiente ocasión el Diablo llevó a Jesús a la parte más alta del Templo. Le dijo: "Si eres Hijo de Dios, lánzate hacia abajo, pues está escrito: Ha dado órdenes a sus ángeles sobre ti; te llevarán en sus manos para que tu pie no tropiece en la piedra". Jesús le respondió: "También está escrito: No pondrás a prueba al Señor, tu Dios".

La última vez el Diablo llevó a Jesús a un monte alto y le mostró todos los reinos del mundo. Le dijo: "Todo esto te lo daré si te postras para adorarme". Jesús le respondió: "¡Aléjate, Satanás! Las Escrituras dicen que al Señor tu Dios adorarás, a él sólo darás culto".

Entonces el Diablo se alejó de Jesús y los ángeles vinieron a cuidarlo.   (adaptado de Mateo 4:11)

Jesús se enfrentó a tres decisiones difíciles presentadas por el Diablo. Pero pensó en lo que decían las Sagradas Escrituras y sabía lo que Dios quería que hiciera. Podemos rezarle al Espíritu Santo para pedir ayuda, leer las Sagradas Escrituras, pedir consejo a personas de confianza o aprender lo que enseña la Iglesia. Todas estas cosas pueden ayudarnos a tomar buenas decisiones morales.

 Datos sobre nuestra fe: *Las Sagradas Escrituras y la toma de decisiones*

Hay muchas historias en la Biblia que nos enseñan a tomar buenas decisiones. Jesús utilizó parábolas para enseñarnos el bien y el mal y para ayudar a la gente a entender cómo quiere Dios que obremos. Jesús enseñó la Regla de Oro en Mateo 7:12: "Traten a los demás como quieren que los demás los traten". Leer historias y versos de las Sagradas Escrituras es algo que podemos hacer y que nos ayuda a tomar buenas decisiones.

What Would Jesus Do?

Jesus came to earth and became man. As a man, he was often faced with difficult decisions, just like all of us. What did Jesus do when he had to make a difficult choice? This story from the Gospel of Matthew can help us understand.

> **What did Jesus do when he had to make a difficult choice?**

The Holy Spirit led Jesus into the desert for 40 days and 40 nights. Jesus was fasting—he did not eat for the whole time. The Devil tempted him three times. The first time he asked him to turn stones into bread. Jesus said, "The Scriptures say that people do not live only on bread, but on every word that God speaks."

The next time the Devil took Jesus to the top of the Temple. He said, "If you are the Son of God, throw yourself down. The Scriptures say that God will tell the angels to protect you." Jesus answered, "The Scriptures also say you should not put God to the test."

The last time, the Devil took Jesus to a high mountain and showed him all the kingdoms of the world. He said, "All these I shall give you if you worship me." Jesus replied, "Go away, Satan! The Scriptures say you shall worship God alone and serve only him."

Then the Devil left Jesus and the angels came and cared for him.

(adapted from Matthew 4:1–11)

Jesus faced three difficult choices from the Devil. But he thought about what Scripture said and knew what God would want him to do. We can pray to the Holy Spirit for help, read Scripture, ask people we trust for advice, and learn what the Church teaches. All of these things can help us make good moral choices.

 Facts of Our Faith: *Scripture and Decision Making*

There are many stories in the Bible that teach us how to make good decisions. Jesus used parables to teach us right from wrong and to help people understand how God wants us to act. Jesus taught the Golden Rule in Matthew 7:12, "Do to others whatever you would have them do to you." Reading Scripture stories and verses is one thing we can use to help us make good decisions.

¡Vívelo!

Imagina que estás caminando con tus padres hacia su auto en un estacionamiento cerca de un restaurante de comida rápida y una mujer joven con un niño pequeño les pide dinero. Ella les dice que su niño tiene hambre y que no tiene dinero. ¿Cuál podría ser una buena decisión moral?

_____

_____

_____

_____

¿Y qué importa esto?

¿Por qué es importante que los católicos creamos en tener una conciencia bien formada y en tomar buenas decisiones morales? Porque quiere decir que estamos llamados a usar nuestro razonamiento. Esto significa que tenemos que seguir aprendiendo acerca de nuestra fe católica toda la vida para que podamos aprender a ver las cosas como Dios las ve. Para seguir a Jesús debemos ser conscientes de lo que él nos enseña y utilizar este conocimiento para tomar buenas decisiones.

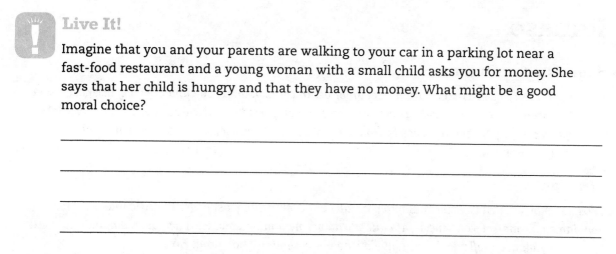

Live It!

Imagine that you and your parents are walking to your car in a parking lot near a fast-food restaurant and a young woman with a small child asks you for money. She says that her child is hungry and that they have no money. What might be a good moral choice?

_____

_____

_____

_____

So What?

So what difference does it make that Catholics believe in having a fully formed conscience and in making good moral decisions? It means that we are called to be thinkers. It means that we must continue to learn about our Catholic faith our whole lives so that we can learn to see things as God sees them. To follow Jesus, we must be aware of what he teaches us and use it to make good choices.

Repaso

Sagradas Escrituras

El propósito de esta exhortación es el amor de un corazón limpio, de una buena conciencia y una fe sincera. Algunos han negado estas cosas y se han perdido en discursos vacíos, sin saber lo que dicen [...]. Sé que tú tienes fe y buena conciencia. Al no escuchar a su conciencia, algunos naufragaron en la fe.

(adaptado de 1 Timoteo 1:5–7,18–19)

Oración

Dios de amor, envía a tu Espíritu Santo para que abra mi mente y así poder seguirte más de cerca. Ayúdame a formar mi conciencia para que pueda verme a mí mismo, a los demás y al mundo como tú nos ves. Ayúdame a reflexionar para que pueda obrar según tu voluntad. Amén.

Ideas principales del capítulo

- Nuestra conciencia nos guía a hacer lo correcto.
- Tenemos que formar una buena conciencia a lo largo de nuestra vida.
- Las enseñanzas católicas nos incitan a razonar antes de actuar.

Palabra a memorizar

conciencia

Responde

Dos cosas que puedo hacer, que me ayudan a formar una buena conciencia:

_____

_____

Tres preguntas que puedo hacerme acerca de las decisiones difíciles:

_____

_____

_____

En casa

Comenta la siguiente pregunta con un adulto. Escribe tu respuesta.

¿Qué decisión puede tomar la gente hoy para ayudar a otras personas y a toda la creación de Dios?

_____

_____

Review

Scripture

The aim of this instruction is love from a pure heart, a good conscience, and a sincere faith. Some people have turned away from these and turned to meaningless talk, and they do not understand what they are saying. . . . I know you will have faith and a good conscience. Some, by not listening to their conscience, have made a shipwreck of their faith.

(adapted from 1 Timothy 1:5–7,18–19)

Prayer

Loving God, send your Holy Spirit to open my mind so that I might follow you more closely. Help me to form my conscience so that I can come to see myself, others, and the world as you see them. Help me to think so that I might act according to your will. Amen.

Chapter Highlights

- Our conscience guides us to do the right thing.
- We must form a good conscience throughout our lives.
- Catholic teachings encourage us to think before we act.

Term to Remember

conscience

React

Two things I can do to help form a good conscience:

_____

_____

Three questions I can ask myself about difficult decisions:

_____

_____

_____

At Home

Discuss this question with a grown-up. Write your answer.

What is one choice that people can make today to help people and all of God's creation?

_____

_____

PARTE 4

La oración: Rezar la fe

Prayer: Praying Faith

"Pidan y se les dará, busquen y encontrarán, llamen y se les abrirá, porque quien pide recibe, quien busca encuentra, a quien llama se le abrirá. ¿Quién de ustedes, si su hijo le pide pan, le da una piedra? ¿O si le pide pescado, le da una culebra? Pues si ustedes, que son malos, saben dar cosas buenas a sus hijos, ¡cuánto más dará el Padre del cielo cosas buenas a los que se las pidan!".

Mateo 7:7–11

"Ask and it will be given to you; seek and you will find; knock and the door will be opened to you. For everyone who asks, receives; and the one who seeks, finds; and to the one who knocks, the door will be opened. Which one of you would hand his son a stone when he asks for a loaf of bread, or a snake when he asks for a fish? If you then, who are wicked, know how to give good gifts to your children, how much more will your heavenly Father give good things to those who ask him."

Matthew 7:7–11

CAPÍTULO 16

La oración

¿Qué te dan ganas de hacer cuando escuchas que suena el teléfono? Por supuesto que quieres contestar la llamada para saber quién está llamando. Hoy en día, con el identificador de llamadas y los teléfonos celulares, ni siquiera tienes que contestar para saber quién está llamando. Pero así y todo quieres contestar la llamada. Queremos saber por qué llama esa persona y averiguar lo que está pasando en su vida. Dios nos está llamando siempre. Él no nos llama solo de vez en cuando. Es como si él estuviera siempre llamándonos, esperando que volvamos a él. La manera de responder al llamado de Dios es a través de la oración. La oración nos mantiene en contacto con Dios.

CHAPTER 16

Prayer

 When you hear a phone ringing, what do you want to do? Of course, you want to pick it up and find out who is calling. Today, with caller ID and cell phones, we don't even have to answer to know who's calling. But we still want to answer the phone. We want to know why people are calling and to find out what's going on in their lives. God is always calling us. He doesn't just call on us every now and then. It's like he is always calling us, waiting for us to get back to him. The way to answer God's call is through prayer. Prayer keeps us connected with God.

Dios llama

Imagina esto: Suena el teléfono, Eduardo contesta y comienza la conversación.

Eduardo dice: —¡Hola!

La persona del otro lado responde: —Hola Eduardo, ¿cómo estás? Hace tiempo que no tengo noticias tuyas.

—¿Quién es? —pregunta Eduardo.

—Eduardo, soy Dios. Hace tiempo que no me llamas. Estaba esperando noticias tuyas. Estoy seguro de que tenemos cosas que hablar —dice Dios.

¿Qué crees que piensa Eduardo? Por supuesto que es un poco tonto pensar que Dios llame a alguien por teléfono, pero usa tu imaginación. Probablemente Eduardo piensa: "¿Cuándo fue la última vez que recé? Supongo que realmente he perdido contacto con Dios. Me había olvidado de él". ¿Cómo crees que se siente con esa llamada telefónica? ¿Cómo te sentirías tú si recibieras una llamada similar de Dios?

> **Toda oración es una respuesta a Dios.**

La idea de que Dios nos llama no es tan tonta. Es una manera de pensar que podemos asociar con Dios. La línea de Dios está siempre disponible para nosotros. Él está esperando pacientemente para escuchar nuestras oraciones y ofrecernos ayuda y guía. Solo tenemos que aprender a hacer que la oración forme parte de nuestra vida.

Dios está siempre tratando de llamar nuestra atención. En el Capítulo 2 aprendimos que es Dios quien toma la iniciativa. Dios llama y nos invita a responder. Toda oración es una respuesta a Dios. Él nos invita activamente a reconocer su presencia amorosa. La oración manifiesta que nos damos cuenta de su presencia en nuestra vida. La **oración** es nuestra respuesta a su invitación constante.

Mantener la conversación

San Pablo dijo: "Oren sin cesar" (1 Tesalonicenses 5:17). Por supuesto que esto no significa que estemos constantemente hablando con Dios. La oración describe todas las formas en las que reconocemos la presencia de Dios y respondemos a ella. La oración puede consistir en escuchar a un amigo que está enojado, reconociendo así que Dios se preocupa por él. Podemos reconocer a Dios en un hermoso día soleado después de una semana de lluvia. Podemos reconocer a Dios en medio de la lluvia. Cuando vemos o hacemos estas cosas y sabemos que Dios es parte de todo esto, estamos rezando.

God Is Calling

Imagine this. The phone rings, Eduardo answers it, and the conversation begins.

Eduardo says, "Hello!"

The person on the other end responds, "Well, hello Eduardo, how are you? I haven't heard from you in a while."

"Who is this?" asks Eduardo.

"Eduardo, this is God. You haven't called lately. I'm waiting to hear from you. I'm sure there are things we can talk about," says God.

What do you think Eduardo is thinking? Of course, it's a little silly to think that God would call someone on the phone, but use your imagination. Eduardo is probably thinking "Oh my, when was the last time I prayed? I guess I really have been out of touch with God. I had forgotten all about him." How do you think he feels about this phone call? How would you feel if you got a similar call from God?

> All prayer is a response to God.

The idea of God calling us is really not that silly. This is a way we can think about God. God's line is always open for us. He is waiting patiently to hear our prayers and give us help and guidance. We just have to learn to make prayer a part of our lives.

God is always trying to get our attention. In Chapter 2, we learned that God takes the initiative. God calls, and we are invited to respond. All prayer is a response to God. He is actively inviting us to recognize his loving presence. Prayer shows that we are noticing his presence in our lives. **Prayer** is our response to his constant invitation.

Keeping the Conversation Going

Saint Paul said, "Pray without ceasing" (1 Thessalonians 5:17). Of course, this doesn't mean that we are constantly talking to God. Prayer describes all the ways we recognize and respond to God's presence. Prayer might be listening to a friend who is upset, recognizing God's care for him. We can recognize God in a beautiful sunny day after a week of rain. We can recognize God in the midst of the rain. When we see or do these things and know that God is part of them, we are praying.

Hay muchas oportunidades en que podemos incluir la oración en nuestra vida. Podemos empezar el día con una oración. Podemos rezar antes de las comidas. Podemos ofrecer oraciones cuando vemos o escuchamos que alguien está enfermo. Podemos dar gracias a Dios por las cosas buenas que suceden durante todo el día. Podemos rezar antes de ir a dormir. Cuando oramos, podemos rezar oraciones que conocemos o sencillamente hablar con Dios. También podemos simplemente quedarnos sentados en silencio y escuchar. Todas estas cosas nos ayudan a estar en contacto con Dios.

> La oración es nuestra respuesta al esfuerzo constante de Dios por llegar a nuestros corazones.

Orar "sin cesar" significa vivir nuestra vida en constante comunión con Dios. Significa ser conscientes de la presencia de Dios a nuestro alrededor. A veces usamos palabras para comunicarnos. La mayoría de las veces reconocemos en silencio la presencia de Dios. La oración es nuestra respuesta al esfuerzo constante de Dios por llegar a nuestros corazones.

Piensa y escribe

Escribe una oración de adoración, petición, intercesión, acción de gracias o alabanza.

_____
_____
_____
_____
_____
_____
_____

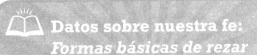

Datos sobre nuestra fe: *Formas básicas de rezar*

Nuestra comunicación con Dios puede ocurrir de diferentes maneras. La Iglesia reconoce las siguientes formas de oración.

- **Adoración** Reconocer la grandeza de Dios
- **Petición** Pedirle a Dios que atienda nuestras necesidades personales
- **Intercesión** Orar por las necesidades de los demás
- **Acción de gracias** Darle gracias a Dios por todos sus dones
- **Alabanza** Proclamar con alegría que Dios es Dios

There are many times we can include prayer in our lives. We can start the day with prayer. We can pray before meals. We can offer prayers when we see or hear about someone who is sick. We can thank God for good things that happen throughout the day. We can say bedtime prayers. When we pray, we can pray prayers we know or just talk with God. We can also sit quietly and listen. All of these things help us be in touch with God.

Prayer is our response to God's constant effort to reach our hearts.

To pray "without ceasing" means living our lives in constant communion with God. It means being aware of God's presence all around us. Sometimes we will use words to communicate. Most of the time we silently recognize God's presence. Prayer is our response to God's constant effort to reach our hearts.

Think and Write

Write a prayer of adoration, petition, intercession, thanksgiving, or praise.

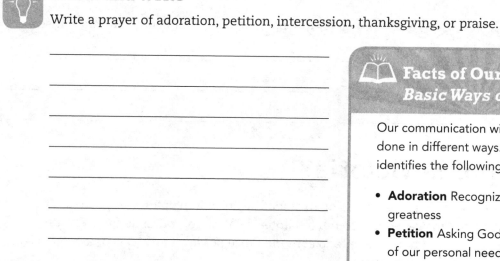

_____

_____

_____

_____

_____

_____

_____

Facts of Our Faith: *Basic Ways of Praying*

Our communication with God can be done in different ways. The Church identifies the following forms of prayer:

- **Adoration** Recognizing God's greatness
- **Petition** Asking God to take care of our personal needs
- **Intercession** Praying for the needs of others
- **Thanksgiving** Thanking God for all his good gifts
- **Praise** Joyfully saying that God is God

Levantar nuestros corazones

El *Catecismo de la Iglesia Católica* describe la oración como "la elevación del alma a Dios" (2559). En la misa el sacerdote nos invita a que "levantantemos el corazón". Nosotros respondemos: "Lo tenemos levantado hacia el Señor". ¿Qué quiere decir "alzar" o "levantar" nuestro corazón? Cuando levantamos nuestro corazón nos damos cuenta de que Dios está en el centro de nuestra vida. Levantamos nuestro corazón a Dios en el Cielo. Levantar nuestros corazones significa unirnos a Dios.

A veces las personas hablan acerca del poder de la oración. Lo que están diciendo es que cuando nos unimos a Dios, nos abrimos a la vida divina dentro de nosotros. La vida divina de Dios nos cambia. A través de la oración podemos vivir una vida llena de fe, esperanza y amor.

¡Vívelo!

Escribe acerca de dos ocasiones en las que podrías incorporar la oración esta semana.

_____

_____

_____

¿Rezar por la victoria?

Imagina que dos equipos de fútbol rivales de tu ciudad se enfrentan en un campeonato. Los padres, amigos y miembros del equipo se reúnen antes del partido. Tratan de fomentar un espíritu de equipo. Alguien propone que todo el mundo rece por la victoria. ¿Es una buena idea? ¿Deben rezar para ganar el campeonato?

Este tipo de historias a veces nos puede confundir. El propósito de la oración no es influir en Dios. La oración no cambia a Dios. La oración nos cambia a nosotros. El otro equipo también pudo haber estado rezando por la victoria. ¿Creemos realmente que Dios decide a qué equipo hará ganar basándose en la calidad de las oraciones? Por supuesto que no. Pero todo eso suscita una pregunta: ¿para qué rezamos entonces?

Por ejemplo:

- ¿Debemos rezar para que no llueva durante un desfile?
- ¿Debemos rezar para ganar un concurso de dibujo?
- ¿Debemos rezar para aprobar un examen de matemáticas?
- ¿Debemos rezar para que haya paz en el mundo?

Lift Up Your Hearts

The *Catechism of the Catholic Church* describes prayer as "the raising of one's mind and heart to God" (2559). At Mass, the priest invites us to "lift up your hearts." We respond "We lift them up to the Lord." Just what does it mean to "raise" or "lift up" our hearts? When we lift up our hearts, we realize God is at the center of our lives. We lift up our hearts to God in Heaven. To lift up our hearts means to be joined with God.

Sometimes people talk about the power of prayer. What they are saying is that when we join with God, we open ourselves up to the divine life within us. God's divine life changes us. Through prayer, we can live lives filled with faith, hope, and love.

 Live It!
Write about two new times you could include prayer during this week.

_____

_____

_____

Pray for Victory?

Imagine that two rival soccer teams in your town are playing one another in the championship game. Parents, friends, and team members gather before the game. They are trying to build team spirit. Someone suggests that everyone pray for a victory. Is this a good idea? Should they pray to win the championship?

These kinds of stories can sometimes confuse us. The purpose of prayer is not to influence God. Prayer does not change God. Prayer changes us. The other team might have also been praying for a win. Do we really think that God decides which team to lead to victory based on the quality of prayers? Of course not. But that brings up a question, "So then, why pray at all?"

For example, should we pray for

- no rain during a parade?
- help in winning a drawing contest?
- help in passing a math test?
- peace in the world?

Por supuesto, la respuesta es "¡Sí, sí, Sí!". Pero, debemos saber para qué y por qué estamos rezando. Rezamos por una sola razón: para alinearnos con la voluntad de Dios. La voluntad de Dios es lo que Dios quiere para nosotros. En cada una de estas situaciones estamos orando por algo muy importante para nosotros, tratando de alinear nuestra voluntad con la voluntad de Dios. No importa cuál sea el desenlace de la situación, Dios interviene porque Dios está siempre interviniendo.

Por desgracia, solo cuando conseguimos lo que queremos pensamos que Dios ha obrado y creemos que es un milagro. Los milagros ocurren, pero Jesús señaló que el milagro más grande es la transformación del corazón humano. Cuando le pidieron a Jesús que sanara a un paralítico, él le dijo que sus pecados habían sido perdonados. Cuando los fariseos protestaron diciendo que solo Dios podía perdonar los pecados, Jesús preguntó: "¿Qué es más fácil decir: 'Tus pecados te son perdonados' o decirle: 'Levántate y anda'?" (Mateo 9:5). Jesús estaba señalando que el perdón de los pecados —la transformación del corazón de este hombre— era un milagro más grande que la curación de su parálisis. La curación física, que era el milagro visible, es un signo externo de un milagro más grande e invisible —la curación del corazón humano—.

> **Rezamos por una sola razón: para alinearnos con la voluntad de Dios.**

Y es por eso que rezamos y pedimos

- que no llueva durante un desfile; pero si llueve seguimos rezando para poder conocer la voluntad de Dios para nosotros ese día.
- que podamos ganar el concurso de dibujo, sabiendo que aquello por lo que realmente estamos rezando es por que podamos hacer todo lo posible y que el ganador sea la persona que dibuje mejor ese día. Y si no ganamos, seguimos rezando para que esto nos ayude a aceptar que perdimos, para aprender de ello, para que esto nos ayude a crecer y para seguir adelante con la actitud correcta.
- ayuda para un examen, no para evadir el estudio, sino para usar el don de nuestra mente.
- por la paz del mundo, porque sabemos que es la voluntad de Dios y que cualquier falta de paz es a causa de las personas, que no son capaces de resolver sus problemas.

Piensa y escribe

Piensa en lo que has leído acerca de la oración. Describe con tus propias palabras lo que es la oración.

_____

_____

_____

_____

_____

Of course, the answer is "Yes, yes, YES!" But we must know what we are praying for and why we pray. We pray for one reason only: to align ourselves with God's will. God's will is what God wants for us. In each of these situations, we are praying about something very important to us, trying to align our will with God's will. No matter how the situation turns out, God steps in because God is always stepping in.

Unfortunately only when we get what we want and think it's a miracle do we think that God was involved. Miracles do happen, but Jesus pointed out that the greatest miracle is the transformation of a human heart. When Jesus was asked to heal a man who was paralyzed, he told him that his sins were forgiven. When the Pharisees protested that only God can forgive sins, Jesus asked, "Which is easier to say, 'Your sins are forgiven,' or to say 'Rise and walk'?" (Matthew 9:5). Jesus was pointing out that the forgiveness of sin—the transformation of this man's heart—was a greater miracle than the healing of this man's paralysis. The physical healing, which was the visible miracle, was an outward sign of the greater invisible miracle—the healing of the human heart.

> We pray for one reason only: to align ourselves with God's will.

And so, we pray

- for no rain during a parade; and if it does rain, we continue to pray so that we can learn what God's will is for us for the day.
- for us to win the drawing contest; knowing that what we are really praying for is that we will do our best and that the winner will be the person who draws better on that day. And if we do not win, we continue to pray to help us accept the loss, to learn from it, to grow from it, and to move on with the right attitude.
- for help on an exam; not to avoid studying, but to use the gift of our minds.
- for world peace; because we know that it is God's will and that any lack of peace is the result of people not able to work things out among themselves.

Think and Write

Think about what you have read about prayer. Describe prayer in your own words.

_____

_____

_____

_____

_____

_____

Entonces, ¿por qué permite Dios que ocurran desgracias?

Dios no es el causante de las cosas malas que suceden. Cuando alguien se enferma gravemente o muere, es parte de nuestra naturaleza humana. Esto no sucede porque esa persona haya pecado. Algunos dolores y sufrimientos son causados por el pecado humano, cuando herimos a otras personas. Dios no quiere que ese sufrimiento exista, pero le ha dado al hombre libre voluntad para elegir entre el bien y el mal. Si elegimos el mal, otras personas serán afectadas en consecuencia. Además, Dios no desea que ocurran desastres naturales como los huracanes y tornados, que hieren y matan a la gente. Cuando Dios creó la tierra, esta incluía la ciencia natural del clima. El clima puede ser agradable para los hombres o puede darles miedo.

¿Dónde está Dios cuando hay sufrimiento? Él está con nosotros, como estaba con Jesús mientras estuvo en la cruz. La presencia de Dios en tiempos de sufrimiento nos ayuda a ver más allá de ese dolor que no entendemos. Él nos ayuda a ver que estamos siempre cerca de él y que algún día veremos la Salvación. Es por eso que los católicos mostramos el crucifijo. Reconocemos que seremos liberados de todo sufrimiento y que recibiremos una vida nueva, como Jesús recibió una vida nueva después de su sufrimiento en la cruz.

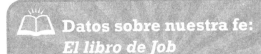

Datos sobre nuestra fe:
El libro de Job

El libro de Job cuenta la historia de Job, un hombre que enfrenta situaciones difíciles. Sin embargo, al final el libro de Job nos dice que el sufrimiento es parte del misterio de la vida y que no podemos esperar entenderlo plenamente. El libro de Job nos inspira a inclinar la cabeza cuando estamos sufriendo y a dirigirnos a Dios, que es el único que nos puede consolar.

So Why Does God Allow Evil to Happen?

God does not cause bad things to happen. When someone gets seriously ill or dies, that is part of being human. These things do not happen because that person was sinful. Some pain and suffering is brought about by human sinfulness, when people hurt other people. God does not will for that suffering to happen, but has given people the free will to choose between good and evil. If we choose evil, other people will be hurt in the process. Also, God does not will natural disasters like hurricanes and tornadoes to hurt and kill people. When God created the earth, that included the natural science of weather. Weather can be both pleasant or frightening for people.

Where is God when suffering is happening? He is with us, just as he was with Jesus when he was on the cross. God's presence in times of suffering helps us to see beyond the pain that we do not understand. He helps us to see that we are always close to him and will someday see Salvation. This is why Catholics display crucifixes. We recognize that we will be saved from all suffering and given new life, just as Jesus was given new life after his suffering on the cross.

 **Facts of Our Faith:** *The Book of Job*

The Book of Job tells the story of Job, a man who faces difficult situations. In the end, however, the Book of Job tells us that suffering is part of the mystery of life and that we cannot hope to fully understand it. The Book of Job inspires us to bow our heads when we are suffering and to turn to God, who alone can comfort us.

¡Vívelo!

Escribe una oración pidiendo paz para tu comunidad y para el mundo. Reza la oración todos los días esta semana.

_____

_____

_____

¿Y qué importa esto?

¿Por qué es importante que los católicos creamos en la oración? Porque esto significa que estamos seguros de que no estamos solos; Dios está con nosotros. Significa que sabemos que no necesitamos llamar la atención de Dios. Sabemos que Dios siempre está buscando nuestra atención y nos invita a estar cerca de él. Significa que estamos en una relación amorosa con Dios y que, a través de esa relación, podemos crecer en la santidad. Significa que Dios nos da la ayuda necesaria para levantar nuestro corazón y centrar nuestra vida en él.

Live It!

Write a prayer for peace in your community and in the world. Pray the prayer each day this week.

_____

_____

_____

So What?

So what difference does it make that Catholics believe in prayer? It means that we are confident that we are not alone—God is with us. It means that we know that we don't have to get God's attention. We know that God is always seeking our attention and inviting us to be close to him. It means that we are in a loving relationship with God and through this relationship that we can grow in holiness. It means that God gives us the help we need to lift up our hearts and center our lives on him.

Repaso

Sagradas Escrituras

Levanto los ojos a los montes: ¿de dónde me vendrá el auxilio? / El auxilio me viene del Señor, que hizo el cielo y la tierra. / No dejará que tropiece tu pie, no duerme tu guardián. / No duerme, ni dormita el guardián de Israel. (Salmo 121:1–4)

Oración

Dios de amor, gracias por invitarme a estar cerca de ti. Ayúdame a reconocer esta invitación y a responder con gratitud todos los días. Espíritu Santo, enséñame a rezar para que pueda estar más cerca del Padre a través de Jesús. Ayúdame no solo a hablarle a Dios, sino también a escuchar las maneras en que Dios me habla a mí. Amén.

Ideas principales del capítulo

- La oración es nuestra respuesta a la invitación que Dios que nos hace.
- Orar "sin cesar" significa vivir nuestra vida en constante comunión con Dios.
- Tenemos a nuestra disposición muchas maneras de rezar, que nos permiten mantenernos en contacto con nuestro Dios de amor.

Palabra a memorizar

oración

Responde

Escribe tres maneras diferentes en que podemos comunicarnos con Dios mediante la oración.

_____

_____

_____

En casa

Comenta la siguiente pregunta con un adulto. Escribe tu respuesta.

¿Qué cosa está sucediendo actualmente en tu comunidad por la que la gente podría rezar?

_____

_____

Review

Scripture

I raise my eyes toward the mountains. / From whence shall come my help? / My help comes from the LORD, / the maker of heaven and earth. / He will not allow your foot to slip; / or your guardian to sleep. / Behold, the guardian of Israel / never slumbers nor sleeps. (Psalm 121:1–4)

Prayer

Loving God, thank you for inviting me to be close to you. Help me to recognize this invitation and to respond with thankfulness every day. Holy Spirit, teach me to pray so that I may grow closer to the Father through Jesus. Help me to not only talk to God but also to listen to the ways that God is speaking to me. Amen.

Chapter Highlights

- Prayer is our response to God's invitation to us.
- To pray without ceasing means to live our lives in constant communion with God.
- We have many forms of prayer available to us to help us keep in touch with our loving God.

Term to Remember

prayer

React

Write three different ways to communicate with God through prayer.

_____

_____

_____

At Home

Discuss this question with a grown-up. Write your answer.

What is one thing happening in your community that people can pray for?

_____

_____

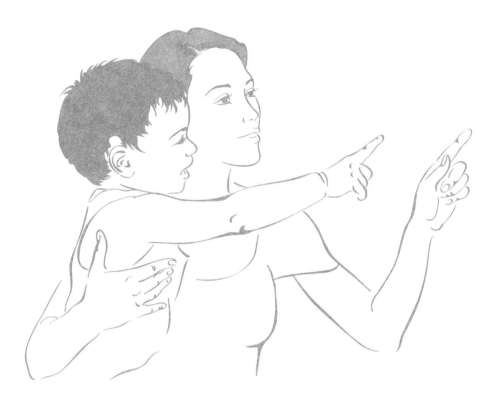

CAPÍTULO 17

Maneras de rezar

 Piensa en cómo los bebés les expresan a sus padres sus necesidades sin poder hablar. Lloran, hacen ruidos, sonríen y se ríen. Piensa en cómo las mascotas se comunican con nosotros. Los perros ladran, gruñen y nos empujan con la cabeza. Los gatos ronronean. ¿De qué maneras se comunican sin palabras las personas? La gente sonríe, frunce el ceño, se ríe y llora. Usamos gestos, nos damos la mano, nos aguantamos de la mano, aplaudimos y señalamos con el dedo. También podemos comunicarnos con Dios sin usar palabras.

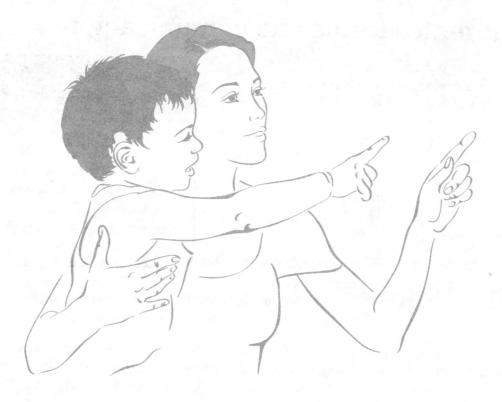

CHAPTER 17

Forms of Prayer

 Think about how babies let their parents know what they need without being able to speak. They cry, they make noises, they smile, and they laugh. Think about how pets communicate with us. Dogs bark, growl, and nudge you with their heads. Cats purr. What are some ways people communicate without talking? People smile, frown, laugh, and cry. We use hand gestures, shake hands, hold hands, clap, and point. We also can communicate with God without using words.

Diferentes formas de comunicación

Piensa en las personas más cercanas a ti, como tus padres, tus hermanos o hermanas y tus mejores amigos. ¿Cómo te comunicas con ellos? Por lo general utilizas palabras. Pero a veces basta mirarlos para saber exactamente lo que están pensando. A veces solo se necesita una sonrisa o una palmadita en la espalda para transmitir un mensaje. ¿Hay alguna forma de comunicación mejor que las otras? No. simplemente son diferentes.

> ### 📖 Datos sobre nuestra fe: *El* Catecismo *y la oración*
>
> La oración es tan importante para nuestra fe que en el *Catecismo de la Iglesia Católica* hay toda una sección acerca de la oración. "¿De dónde viene la oración del hombre? [...] Las Sagradas Escrituras hablan [de que] es el *corazón* el que ora" (*CIC* 2562). ¿Oras de corazón?

La oración funciona así mismo. Existe la oración vocal, que en la que rezamos con palabras. Existe también la oración contemplativa, que es la oración que conlleva al silencio. Estos son sencillamente diferentes modos en que nos comunicamos con Dios.

Cuando comenzamos a integrar la oración en nuestra vida, mayormente usamos palabras para hablar con Dios. A medida que crecemos, nos damos cuenta de que probablemente dependemos menos de las palabras y escuchamos más a Dios. Estas son simplemente diferentes formas de estar en comunión con Dios. Y no olvides que Dios también nos habla de muchas maneras diferentes.

La oración vocal

La oración vocal es en la que rezamos con palabras, ya sea en voz alta o en el silencio de nuestro corazón. Esta es la forma más natural de rezar. La mayoría de la gente comienza a rezar de esta manera.

Las oraciones tradicionales

Las oraciones tradicionales son como tesoros familiares que la Iglesia nos ha transmitido. Las oraciones tradicionales son útiles para los momentos en que no podemos encontrar nuestras propias palabras para rezar. Estas oraciones también ayudan a grupos de personas a rezar juntos. Algunos de los ejemplos más conocidos son los siguientes:

- Señal de la Cruz
- Padrenuestro (Oración del Señor)
- Avemaría
- Gloria al Padre (Doxología)
- Oración antes de las comidas
- Oración después de las comidas
- Acto de Contrición
- Dios te salve
- Oración al Espíritu Santo
- Credo de los Apóstoles

Different Ways of Communicating

Think about the people you are closest to such as your parents, your brothers or sisters, and your best friends. How do you communicate with them? Mostly you use words. But sometimes you can just look at them and know exactly what they are thinking. Sometimes it just takes a smile or a pat on the back to get a message across. Is one form of communication better than another? No. They are just different.

Prayer works the same way. There is vocal prayer, which is praying using words. There is also contemplative prayer, which is prayer that moves into silence. These are just different ways we communicate with God.

When we start to make prayer a part of our lives, we mostly use words to talk to God. As we grow older, we may find ourselves relying less on words and more on listening to God. These are just different ways of being in communion with God. And don't forget that God also speaks to us in many different ways.

> **Facts of Our Faith:**
> *The* Catechism *and Prayer*
>
> Prayer is so important to our faith that in the *Catechism of the Catholic Church,* there is an entire section about prayer. "Where does prayer come from? . . . According to Scripture, it is the *heart* that prays." (*CCC* 2562) Do you pray from your heart?

Vocal Prayer

Vocal prayer is prayer with words either spoken aloud or in the silence of our hearts. This is the most natural form of prayer. For most people, it is the place where prayer begins.

Traditional Prayers

Traditional prayers are like family treasures that have been handed down to us by the Church. Traditional prayers are helpful for the times when we cannot find the words of our own to pray. They also help groups of people to pray together. Some of the best-known examples include the following:

- Sign of the Cross
- Lord's Prayer (Our Father)
- Hail Mary
- Glory Be to the Father (Doxology)
- Prayer Before Meals

- Prayer After Meals
- Act of Contrition
- Hail, Holy Queen (*Salve Regina*)
- Prayer to the Holy Spirit
- Apostles' Creed

La oración espontánea

Como nosotros los católicos tenemos tantas oraciones tradicionales, a veces no conocemos muy bien la oración espontánea. La oración espontánea es la oración que utiliza nuestras propias palabras. A Dios se le invoca de muchas maneras diferentes. Por ejemplo, puedes comenzar diciendo "Querido Dios", "Padre nuestro celestial", "Dios omnipotente", "Señor Jesús", "Creador de todas las cosas" o "Dios de amor".

Al hablar con Dios puedes usar los siguientes pasos como ayuda para que recuerdes cómo practicar la oración espontánea. Una manera divertida de recordar estos pasos es pensar en las letras D-I-P-T.

1. **D**a gracias. Ser agradecidos nos recuerda que Dios da el primer paso y que nosotros ahora estamos respondiendo. Da gracias por las cosas sencillas, como poder pasear en bicicleta o leerle un libro a tu primito.

2. **I**dentifica tus necesidades. Dile a Dios lo que te preocupa. Pide ayuda para hacerle frente a algo que te preocupa.

3. **P**erdona y pide perdón. Pide perdón por todo lo que pudiste haber hecho mal. Ora pidiendo la gracia de perdonar a los demás.

4. **T**en en cuenta a los demás. No rezamos solo por nosotros mismos. Pensamos en lo que otras personas puedan necesitar.

Piensa y escribe

Sigue los pasos descritos anteriormente y escribe tu propia oración espontánea.

_____

_____

_____

La meditación

La **meditación**, u oración reflexiva, consiste en pensar en Dios. A veces la gente utiliza pasajes bíblicos, lecturas inspiradoras o imágenes sagradas como ayuda para meditar. Cuando meditamos, tratamos de reflexionar en la presencia de Dios en nuestra vida. Hay cinco oraciones comunes que los católicos usamos para la meditación. Son el Rosario, el *Vía Crucis*, el examen diario, la oración reflexiva y la *lectio divina* (se pronuncia "lexio divina").

Spontaneous Prayer

Because Catholics have so many traditional prayers, we are sometimes not familiar with spontaneous prayer. Spontaneous prayer is prayer using our own words. God answers to many names. For example, you may begin by saying Dear God, Heavenly Father, Almighty God, Dear Jesus, Creator of All Things, or Loving God.

When you talk to God, you can use these four steps to help you remember how to practice spontaneous prayer. A fun way to remember these steps is G-I-F-T.

1. **G**ive thanks. Being thankful reminds us that God takes the first step and we are now responding. Offer thanks for simple things like being able to ride your bike outside or reading a book to your little cousin.
2. **I**dentify your needs. Tell God what you are worried about. Ask for help dealing with something that is worrying you.
3. **F**orgive and be forgiven. Ask for forgiveness for anything you may have done wrong. Pray for the grace to forgive others.
4. **T**hink of others. We never just pray for ourselves. We think of what other people may need.

Think and Write

Use the steps described above to write your own spontaneous prayer.

_____

_____

_____

Meditation

Meditation, or reflective prayer, is thinking about God. Sometimes people use Scripture passages, inspirational readings, or sacred images to help them meditate. When we meditate, we try to think about God's presence in our lives. There are five common prayers Catholics use for meditation. They are the Rosary, the Stations of the Cross, the Daily Examen, reflective prayer, and the *lectio divina* (LECT-see-oh dih-VEE-nah).

El Rosario

Al rezar el Rosario, usamos las oraciones vocal, meditativa y contemplativa. Durante el Rosario meditamos sobre los acontecimientos de la vida de Jesús y de su madre, la Virgen María, mientras rezamos las palabras del Padrenuestro, el Avemaría y el Gloria. A cada acontecimiento se le llama misterio. Los cuatro misterios se explican en la página 136.

El Rosario se compone de una serie de cuentas y un crucifijo. Empezamos a rezar el Rosario sosteniendo el crucifijo en las manos, mientras hacemos la Señal de la Cruz. Luego rezamos el Credo de los Apóstoles.

Al lado del crucifijo hay una cuenta separada, seguida por un conjunto de otras tres cuentas y luego otra cuenta sola. Rezamos un Padrenuestro mientras sostenemos la primera cuenta y un Avemaría por cada cuenta de la serie de tres cuentas que siguen. Luego rezamos el Gloria. En la cuenta separada que viene a continuación pensamos en el primer misterio y rezamos el Padrenuestro.

Hay cinco series de diez cuentas; a cada conjunto se le llama decena. Rezamos un Avemaría en cada cuenta de la decena, mientras reflexionamos en un misterio especial de la vida de Jesús y de la Virgen María. Rezamos el Gloria al final de cada decena. Mucha gente reza el Salve Regina después de la última decena. Entre las decenas hay un cuenta separada en la que nos detenemos a reflexionar en uno de los misterios y rezamos el Padrenuestro.

Para terminar, sostenemos el crucifijo mientras rezamos la Señal de la Cruz.

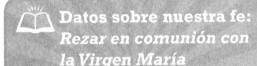

Datos sobre nuestra fe: *Rezar en comunión con la Virgen María*

La Santísima Virgen María nos conecta a los católicos con su Hijo, Jesús, de manera muy especial. Puesto que ella es la madre de Jesús, podemos pedirle su ayuda para acercarnos más a él. No le rezamos a la Virgen María, sino que rezamos en comunión con ella, sabiendo que a través de ella podemos llegar a conocer a su Hijo, Jesús.

The Rosary

When you pray the Rosary, you use vocal, meditative, and contemplative forms of prayer. During the Rosary, we meditate on the events of the lives of Jesus and his mother, Mary, while we pray the words of the Lord's Prayer, the Hail Mary, and the Glory Be to the Father. Each event is called a mystery. The four mysteries are explained on page 136.

A rosary is made up of a string of beads and a crucifix. We begin praying the Rosary by holding the crucifix in our hands as we pray the Sign of the Cross. Then we pray the Apostles' Creed.

Next to the crucifix, there is a single bead followed by a set of three beads and another single bead. We Pray the Lord's Prayer as we hold the first single bead and a Hail Mary at each bead in the set of three that follows. Then we pray the Glory Be to the Father. On the next single bead, we think about the first mystery and pray the Lord's Prayer.

There are five sets of ten beads; each set is called a decade. We pray a Hail Mary on each bead of a decade as we reflect on a particular mystery in the lives of Jesus and Mary. We pray the Glory Be to the Father at the end of each decade. Many people pray the Hail, Holy Queen after the last decade. Between decades is a single bead on which we think about one of the mysteries and pray the Lord's Prayer.

We end by holding the crucifix as we pray the Sign of the Cross.

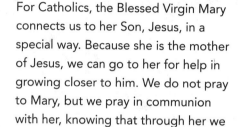
Facts of Our Faith:
Praying in Communion with Mary

For Catholics, the Blessed Virgin Mary connects us to her Son, Jesus, in a special way. Because she is the mother of Jesus, we can go to her for help in growing closer to him. We do not pray to Mary, but we pray in communion with her, knowing that through her we can come to know her Son, Jesus.

Cómo rezar el Rosario

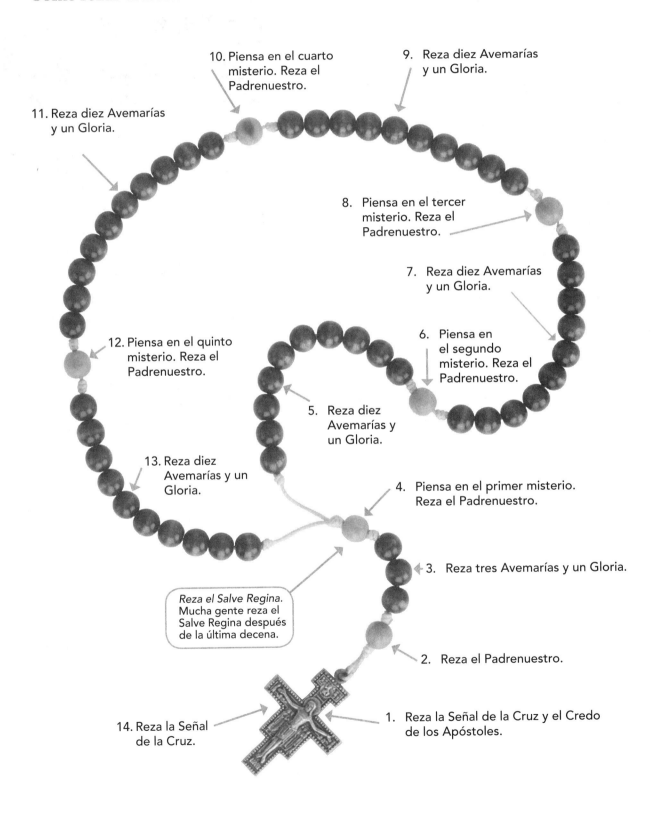

10. Piensa en el cuarto misterio. Reza el Padrenuestro.

9. Reza diez Avemarías y un Gloria.

11. Reza diez Avemarías y un Gloria.

8. Piensa en el tercer misterio. Reza el Padrenuestro.

7. Reza diez Avemarías y un Gloria.

12. Piensa en el quinto misterio. Reza el Padrenuestro.

6. Piensa en el segundo misterio. Reza el Padrenuestro.

5. Reza diez Avemarías y un Gloria.

13. Reza diez Avemarías y un Gloria.

4. Piensa en el primer misterio. Reza el Padrenuestro.

Reza el Salve Regina. Mucha gente reza el Salve Regina después de la última decena.

3. Reza tres Avemarías y un Gloria.

2. Reza el Padrenuestro.

14. Reza la Señal de la Cruz.

1. Reza la Señal de la Cruz y el Credo de los Apóstoles.

Praying the Rosary

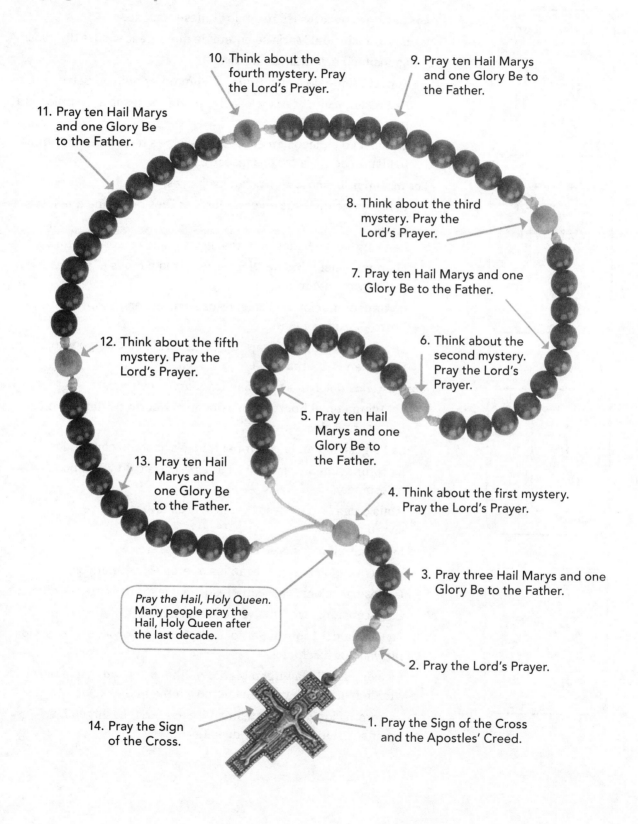

10. Think about the fourth mystery. Pray the Lord's Prayer.

9. Pray ten Hail Marys and one Glory Be to the Father.

11. Pray ten Hail Marys and one Glory Be to the Father.

8. Think about the third mystery. Pray the Lord's Prayer.

7. Pray ten Hail Marys and one Glory Be to the Father.

12. Think about the fifth mystery. Pray the Lord's Prayer.

6. Think about the second mystery. Pray the Lord's Prayer.

5. Pray ten Hail Marys and one Glory Be to the Father.

13. Pray ten Hail Marys and one Glory Be to the Father.

4. Think about the first mystery. Pray the Lord's Prayer.

3. Pray three Hail Marys and one Glory Be to the Father.

Pray the Hail, Holy Queen. Many people pray the Hail, Holy Queen after the last decade.

2. Pray the Lord's Prayer.

14. Pray the Sign of the Cross.

1. Pray the Sign of the Cross and the Apostles' Creed.

Los misterios del Rosario

Los misterios gozosos (se rezan los lunes y sábados)

La **Anunciación:** María se entera de que será la madre de Jesús.

La **Visitación:** María visita a Isabel.

El **nacimiento de Jesús:** Jesús nace en un establo en Belén.

La **Presentación:** María y José llevan al niño Jesús al Templo para presentarlo ante Dios.

El **hallazgo de Jesús en el Templo:** Jesús es hallado en el Templo hablando de su fe con los maestros.

Los misterios luminosos (se rezan los jueves)

El **Bautismo de Jesús en el río Jordán:** Dios proclama que Jesús es su Hijo amado.

La **fiesta de las bodas de Caná:** Jesús realiza su primer milagro.

El **anuncio del reino de Dios:** Jesús llama a todos a la conversión y al servicio del reino.

La **transfiguración de Jesús:** Jesús se revela en la gloria ante Pedro, Santiago y Juan.

La **institución de la Eucaristía:** Jesús ofrece su Cuerpo y su Sangre en la Última Cena.

Los misterios dolorosos (se rezan los martes y viernes)

La **Agonía en el huerto:** Jesús ora en el huerto de Getsemaní la noche antes de su muerte.

La **Flagelación en la columna:** Jesús es azotado con látigos.

La **coronación de espinas:** Jesús es escarnecido y coronado de espinas.

Jesús carga la cruz: Jesús carga la cruz utilizada para su crucifixión.

La **Crucifixión:** Jesús es crucificado y muere.

Los misterios gloriosos (se rezan los miércoles y domingos)

La **Resurrección:** Dios Padre resucita a Jesús de entre los muertos.

La **Ascensión:** Jesús vuelve al Padre en el Cielo.

La **venida del Espíritu Santo:** El Espíritu Santo viene a traer vida nueva a los discípulos.

La **asunción de la Virgen María:** Al final de su vida en la tierra, la Virgen María es llevada en cuerpo y alma al Cielo.

La **coronación de la Santísima Virgen María:** La Virgen María es coronada reina del Cielo y de la tierra.

The Mysteries of the Rosary

The Joyful Mysteries (prayed on Mondays and Saturdays)

The Annunciation: Mary learns that she will be the mother of Jesus.

The Visitation: Mary visits Elizabeth.

The Nativity: Jesus is born in a stable in Bethlehem.

The Presentation: Mary and Joseph take the infant Jesus to the Temple to present him to God.

The Finding of Jesus in the Temple: Jesus is found in the Temple, discussing his faith with the teachers.

The Luminous Mysteries or The Mysteries of Light (prayed on Thursdays)

The Baptism of Jesus in the River Jordan: God proclaims that Jesus is his beloved Son.

The Wedding Feast at Cana: Jesus performs his first miracle.

The Proclamation of the Kingdom of God: Jesus calls all to conversion and service to the kingdom.

The Transfiguration of Jesus: Jesus is revealed in glory to Peter, James, and John.

The Institution of the Eucharist: Jesus offers his Body and Blood at the Last Supper.

The Sorrowful Mysteries (prayed on Tuesdays and Fridays)

The Agony in the Garden: Jesus prays in the Garden of Gethsemane on the night before he dies.

The Scourging at the Pillar: Jesus is beaten with whips.

The Crowning with Thorns: Jesus is mocked and crowned with thorns.

The Carrying of the Cross: Jesus carries the cross used for his Crucifixion.

The Crucifixion: Jesus is nailed to the cross and dies.

The Glorious Mysteries (prayed on Wednesdays and Sundays)

The Resurrection: God the Father raises Jesus from the dead.

The Ascension: Jesus returns to his Father in Heaven.

The Coming of the Holy Spirit: The Holy Spirit comes to bring new life to the disciples.

The Assumption of Mary: At the end of her life on earth, Mary is taken body and soul into Heaven.

The Coronation of Mary: Mary is crowned as Queen of Heaven and Earth.

¡Vívelo!

Escribe una intención de oración por un problema que se haya mencionado en las noticias esta semana. Reza un Rosario con el resto de la clase por todas las intenciones de ustedes.

_____

_____

_____

El *Vía Crucis*

El **Vía Crucis**, también llamado Estaciones de la Cruz, representa los acontecimientos de la Pasión, muerte y Resurrección de Jesús. En cada estación hacemos una pausa y utilizamos nuestros sentidos e imaginación para meditar en la escena representada o descrita. Podemos rezar con nuestras propias palabras o podemos usar las oraciones provistas en algunos libros de oraciones del *Vía Crucis*. A continuación aparece una descripción de cada estación.

1. Jesús es condenado a muerte.
2. Jesús carga la cruz.
3. Jesús cae por primera vez.
4. Jesús encuentra a su Santísima Madre.
5. Simón el Cirineo ayuda a Jesús a llevar la cruz.
6. Verónica limpia el rostro de Jesús.
7. Jesús cae por segunda vez.
8. Jesús consuela a las mujeres de Jerusalén.
9. Jesús cae por tercera vez.
10. Jesús es despojado de sus vestiduras.
11. Jesús es clavado en la cruz.
12. Jesús muere en la cruz.
13. Jesús es bajado de la cruz.
14. Jesús es colocado en el sepulcro.

La oración de clausura, que a veces se incluye como estación extra en la posición número 15, es una reflexión sobre la Resurrección de Jesús.

El examen diario

San Ignacio de Loyola creó un método simple de meditación al que le llamó examen diario. Podemos utilizar esta meditación al final del día para pensar en cómo pasamos el día y reconocer que Dios está activo en nuestra vida cotidiana. Puedes seguir estos pasos:

- Reserva de 10 a 15 minutos al final del día.
- Haz silencio y piensa en la presencia de Dios, dándole gracias a Dios por su amor y pidiéndole guía al Espíritu Santo.
- Examina tu jornada, agradeciéndole a Dios por las formas en que te bendijo.

Live It!

Write a prayer intention for a problem that has been in the news this week. As a class, pray a Rosary for all your intentions.

_____

_____

_____

Stations of the Cross

The **Stations of the Cross** represent events from Jesus' Passion, Death, and Resurrection. At each station, we pause and use our senses and imagination to meditate on the scene pictured or described. We can pray in our own words, or we can use prayers provided in a Stations of the Cross prayer book. Below is a description of each station.

1. Jesus is condemned to death.
2. Jesus takes up his cross.
3. Jesus falls the first time.
4. Jesus meets his sorrowful mother.
5. Simon of Cyrene helps Jesus carry the cross.
6. Veronica wipes the face of Jesus.
7. Jesus falls a second time.
8. Jesus meets the women of Jerusalem.
9. Jesus falls the third time.
10. Jesus is stripped of his garments.
11. Jesus is nailed to the cross.
12. Jesus dies on the cross.
13. Jesus is taken down from the cross.
14. Jesus is laid in the tomb.

The closing prayer, which is sometimes included as a 15th station, reflects on the Resurrection of Jesus.

Daily Examen

Saint Ignatius of Loyola developed a simple method of meditation called the Daily Examen. We can use this meditation at the end of the day to think back about how the day was and to recognize how God is active in our daily lives. We can follow these steps:

- Set aside 10–15 minutes near the end of the day.
- Quiet yourself and think about God's presence, thanking God for his love and asking the Holy Spirit for guidance.
- Review your day, thanking God for the ways he blessed you.

- Examina otra vez tu jornada, pensando en las oportunidades que has tenido de usar los dones que Dios te ha dado. ¿Cuándo utilizaste los dones de Dios? ¿Cuándo pudiste haberlos utilizado y no lo hiciste?
- Da gracias a Dios por las formas en que te acercaste más a él y pídele perdón por las oportunidades que perdiste o ignoraste.
- Decídete a estar más cerca de la gracia de Dios en los próximos días y termina la meditación con el Padrenuestro.

La oración reflexiva

También conocida como meditación, la oración reflexiva nos ayuda a usar la mente y la imaginación para conversar con Dios en oración. También nos ayuda a reconocer su presencia en nuestra vida diaria. Sigue estos pasos:

- Reserva de 10 a 15 minutos y busca un lugar tranquilo donde puedas estar cómodo. Cierra los ojos o concéntrate en una imagen religiosa o una vela encendida. También puedes escuchar música instrumental tranquila de fondo.
- Relájate lentamente y en silencio, respira profundamente y luego suelta el aire lentamente. Puedes establecer un ritmo contando lentamente hasta tres mientras inhalas y contando otra vez hasta tres mientras exhalas. Si te concentras en tu respiración, esto te ayudará a despejar tus pensamientos.
- Lee en actitud orante un breve pasaje de los Evangelios e imagínate presente en la historia. Usa tu imaginación para hablar con Jesús y escúchalo hablarte a ti. En lugar de las Sagradas Escrituras, puedes utilizar libros de oración u objetos sagrados como ayuda para concentrarte en Dios, como un crucifijo, un ícono o una imagen religiosa. Habla con Jesús tal como hablarías con un amigo.
- Termina tu reflexión con uno o dos minutos de contemplación, simplemente descansando con tranquilidad en las manos de Dios.

La *lectio divina*

Durante muchos siglos los católicos han usado una forma de meditación llamada *lectio divina*. En latín esto quiere decir "lectura sagrada". Es una manera de pasar tiempo con la Palabra de Dios usando una forma especial de leer y escuchar. Es como el Rosario: uno utiliza las oraciones vocal, meditativa y contemplativa. Primero lees un breve pasaje de las Sagradas Escrituras y luego meditas. Después rezas en conversación silenciosa con Dios y terminas la meditación descansando en presencia de Dios.

- Review your day again, thinking about the opportunities you had to use the gifts God has given you. When did you use God's gifts? When could you have used them but didn't?
- Thank God for the ways you grew closer to him, and ask forgiveness for the opportunities you missed or decided against.
- Decide to be closer to God's grace in the days to come and end the meditation with the Lord's Prayer.

Reflective Prayer

Also known as meditation, reflective prayer helps us use our minds and imagination to have a prayerful conversation with God. It also helps us recognize his presence in our daily lives. Follow these steps:

- Set aside 10–15 minutes and find a quiet place where you can be comfortable. Close your eyes, or focus on a religious picture or a lighted candle. You can also listen to quiet instrumental music in the background.
- Relax yourself by slowly and silently taking a deep breath and then let it out slowly. You can establish a rhythm by slowly counting to three while breathing in and slowly counting to three while breathing out. If you concentrate on your breaths, it will help quiet your thoughts.
- Prayerfully read a brief passage from the Gospels and imagine yourself in the story. Use your imagination to talk with Jesus and listen to him speak to you. Instead of Scripture, you can use prayer books or sacred objects, such as a crucifix or an icon, a religious image, to help you focus on God. Talk to Jesus as you would talk to a friend.
- End your reflection with one or two minutes of contemplation—simply resting quietly in the hands of God.

Lectio Divina

For many centuries, Catholics have used a form of meditation called *lectio divina*. In Latin, it means "sacred reading." This is a way of spending time with the Word of God, using a special form of reading and listening. It's like the Rosary in that you use vocal, meditative, and contemplative forms of prayer. First, you read a brief Scripture passage, then you reflect. Next, you pray in silent conversation with God and end your meditation by resting in God's presence.

La oración contemplativa

Mientras que para la meditación hay que hacer un esfuerzo por concentrarse, la contemplación consiste en simplemente descansar con tranquilidad en presencia de Dios. En la contemplación no tratamos de hablar con Dios, sino de admirar la gloria de Dios y su amor a nuestro alrededor. No se necesitan palabras.

La oración centrante

La oración centrante es un tipo de oración contemplativa. La oración centrante nos invita a abrir la mente y el corazón a la presencia de Dios en el silencio. Esto nos permite recibir el don de la gracia de Dios. Los pasos que aparecen a continuación te ayudarán:

- Elige una "palabra sagrada" o una frase como "¡Ven, Señor Jesús", "Paz" o "Gracia".
- Encuentra una posición cómoda y cierra los ojos. Siéntate un rato en silencio.
- Piensa en las palabras sagradas que elegiste para que te ayuden a recibir la gracia de Dios. Repite la palabra o la frase en tu mente de vez en cuando, especialmente cuando comienzas a pensar en otras cosas.
- Cuando estés listo, deja de lado las palabras sagradas y simplemente descansa en silencio.
- Trata de dedicarle 20 minutos a la oración centrante.

Como sucede con la mayoría de las oraciones, comenzamos a ver el efecto de la oración centrante con el tiempo. Esta nos ayuda a elevar la mente y el corazón hacia Dios. Nos ayuda a ver la presencia de Dios en nuestra vida.

Pensar y Escribir

Elige una forma de rezar que sea nueva para ti. Dedica 10 minutos a rezar con esa nueva forma de oración. Describe tu experiencia de forma breve.

_____

_____

¡Vívelo!

Añade una nueva forma de rezar en tu tiempo de oración familiar. Describe cómo puedes hacer esto.

_____

_____

¿Y qué importa esto?

¿Por qué es importante que los católicos tengamos tantas maneras de rezar? Porque esto significa que, independientemente de nuestro tipo de personalidad, podemos encontrar maneras de acercarnos más a Dios mediante la oración. Significa que sabemos que la oración es mucho más que hablar con Dios; es el estar conscientes de la presencia de Dios en nuestra vida, así como de nuestra respuesta a su presencia.

Contemplative Prayer

While meditation involves actively focusing, contemplation is simply resting quietly in God's presence. In contemplation, we do not try to speak to God, but take in God's glory and love all around us. No words are needed.

Centering Prayer

Centering prayer is a kind of contemplative prayer. Centering prayer invites us to open our minds and hearts to God's presence in silence. It allows us to receive God's gift of grace. Following these steps will help:

- Choose a "sacred word" or phrase such as "Come, Lord Jesus," "Peace," or "Abba."
- Find a comfortable position and close your eyes. Sit silently for a few moments.
- Think about your sacred words to help you receive God's grace. In your mind, repeat this word or phrase occasionally, especially when you begin to think of other things.
- When you are ready, set aside your sacred words and just rest in silence.
- Try to give yourself 20 minutes for centering prayer.

We begin to see the effect of centering prayer, like most prayer, over time. It helps us lift our minds and hearts to God. It helps us see God's presence in our lives.

Think and Write

Choose one method of prayer that is new to you. Take 10 minutes to pray using the new form of prayer. In a few words, describe your experience.

_____

_____

Live It!

Add a new prayer form into your family prayer time. Describe how you can do this.

_____

_____

So What?

What difference does it make that Catholics have so many forms of prayer? It means that, no matter our personality type, we can find ways to grow closer to God through prayer. It means that we can know that prayer is much more than talking to God, but is our awareness of God's presence in our lives and our response to it.

Repaso

Sagradas Escrituras

Estén siempre alegres, oren sin cesar, den gracias por todo. Eso es lo que quiere Dios de ustedes como cristianos.

(1 Tesalonicenses 5:16–18)

Oración

Espíritu Santo que enseñas a tu pueblo a rezar con la guía de la Iglesia. Gracias por enseñarme tantas maneras de estar en comunión contigo y con el Padre y con Jesús mediante la oración. Ayúdame a encontrar la forma de rezar que sea la mejor para mí en este momento en mi vida. Ayúdame a crecer en mi vida de oración, de modo que pueda reconocer mejor la presencia de Dios en mi vida y responder amándolo a él y amando a mi prójimo. Amén.

Ideas principales del capítulo

- Hay muchas formas diferentes de rezar.
- La oración vocal incluye las oraciones tradicionales y la oración espontánea.
- La meditación, u oración reflexiva, incluye el examen diario, el Rosario, el *Vía Crucis* y la *lectio divina*.
- La oración centrante es un tipo de oración contemplativa.

Palabras a memorizar

meditación   *Vía Crucis*

Responde

¿Por qué crees que es útil usar las distintas formas de rezar que aprendiste?

_____

_____

En casa

Comenta la siguiente pregunta con un adulto. Escribe tu respuesta.

¿Cómo crees que sería de diferente el mundo si todas las personas rezaran a diario por la paz?

_____

_____

_____

Review

Scripture

Rejoice always. Pray without ceasing. In all circumstances give thanks, for this is the will of God for you in Christ Jesus.

(1 Thessalonians 5:16–18)

Prayer

Holy Spirit, you teach your people to pray through the guidance of the Church. Thank you for showing me so many ways to be in prayerful communion with you and with the Father and with Jesus. Help me to find the way to pray that is best for me right now in my life. Help me to grow in my prayer life so that I may better recognize God's presence in my life and respond by loving him and by loving my neighbors. Amen.

Chapter Highlights

- There are many different ways to pray.
- Vocal prayer includes traditional prayers and spontaneous prayer.
- Meditation, or reflective prayer, includes the Daily Examen, the Rosary, the Stations of the Cross, and *lectio divina*.
- Centering prayer is a type of contemplative prayer.

Terms to Remember

meditation   **Stations of the Cross**

React

Why do you think it is helpful to use the many different kinds of prayer you learned about?

_____

_____

At Home

Discuss this question with a grown-up. Write your answer.

How do you think the world would be different if all people prayed for peace every day?

_____

_____

_____

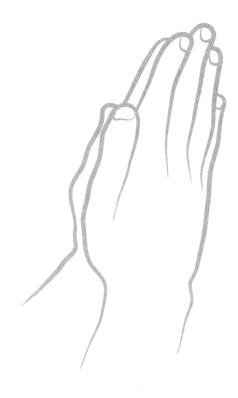

CAPÍTULO 18

El Padrenuestro y la manera en que funciona la oración

¿Qué significa la frase "saberse algo de memoria"?

Significa que has memorizado algo tan bien que puedes recitarlo sin siquiera tener que pensar, como tu número de teléfono, tu dirección o las tablas de multiplicación. Los católicos nos sabemos muchas oraciones de memoria. ¿Qué oraciones te sabes de memoria? Es bueno saberse las oraciones de memoria, pero tenemos que recordar que debemos pensar cuidadosamente en esas palabras. Cuando tenemos una deliciosa cena en la mesa, tal vez rezamos precipitadamente la acción de gracias para poder empezar a comer. Si nos permitimos un momento para calmarnos y pensar en las palabras que rezamos, les damos mucho más significado a estas oraciones.

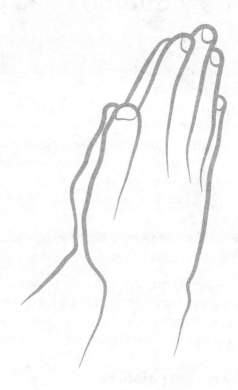

CHAPTER 18

The Lord's Prayer and How Prayer Works

 What does the phrase "to know by heart" mean?

It means that you have something memorized so well that you can say it without even thinking, like your phone number, address, or the multiplication tables. Catholics know many prayers by heart. What prayers do you know by heart? It is good to know prayers by heart, but we still have to remember to think carefully about those words. When we have a delicious dinner on the table, we might rush through praying grace so that we can start eating. If we take a moment to slow down and think about the words as we pray, it gives much more meaning to these prayers.

142   CAPÍTULO 18
El Padrenuestro y la manera
en que funciona la oración

PUENTES A LA FE: PARTE 4

Qué es y qué no es la oración

He aquí un repaso breve de lo que sabemos acerca de la oración.

- La oración no consiste en llamar la atención de Dios. Es nuestra respuesta a la invitación de Dios.
- No rezamos para cambiar la voluntad de Dios. Rezamos para que seamos nosotros quienes cambiemos.
- No utilizamos la oración para controlar o cambiar la realidad.
- La oración tiene un mayor impacto en la persona que reza que en la persona por la cual se reza.
- Los efectos de la oración no siempre pueden verse de inmediato.
- La oración no tiene como fin conseguir lo que uno quiere, sino aceptar lo que Dios quiere.

Rezamos porque amamos a Dios y queremos estar cerca de él. También podemos orar por aquellos que no creen en Dios. Rezamos para que esas personas puedan saber que Dios las está llamando e invitándolas a conocerlo.

> No rezamos para cambiar la voluntad de Dios. Rezamos para que seamos nosotros quienes cambiemos.

Encontrarse sin palabras

La mayoría de las veces la oración puede parecer algo fácil. Otras veces nos parece muy complicada. San Ignacio de Loyola, fundador de la Compañía de Jesús (los jesuitas), animó a sus seguidores a rezarle a Dios de la misma forma en la que hablarían con cualquiera de sus amigos. La oración debe ser sencilla, pero a veces no sabemos qué palabras usar. No sabemos cómo escuchar o qué estamos escuchando. El Espíritu Santo, a través de la Iglesia, nos ofrece un poco de ayuda a la hora de rezar. Aunque la oración es algo simple, tal vez no sepamos qué decirle a Dios o cómo decírselo.

Piensa y escribe

¿Alguna vez trataste de rezar y no pudiste encontrar las palabras precisas? ¿Qué hiciste?

_____

_____

_____

What Prayer Is and What It Isn't

Here's a quick review of what we know about prayer.

- Prayer is not us looking for God's attention. It is our responding to God's invitation.
- We do not pray to change God's mind. We pray to change ourselves.
- We don't use prayer to control or change what is reality.
- Prayer affects the person praying more than the person being prayed for.
- The effects of prayer cannot always be seen immediately.
- Prayer is not about getting what you want but accepting what God wants.

We pray because we love God and want to be close to him. We can also pray for those who do not believe in God. We pray that those people can hear that God is calling them and inviting them to know God.

> We do not pray to change God's mind. We pray to change ourselves.

At a Loss for Words

Most of the time, prayer can seem so simple. Other times it can seem very complicated. Saint Ignatius of Loyola, the founder of the Society of Jesus (the Jesuits), encouraged his followers to pray to God like you would talk to any of your friends. Prayer should be simple, but sometimes we don't know what words to use. We don't know how to listen or what we are listening for. The Holy Spirit, through the Church, gives us some help when it comes to prayer. Although prayer is simple, we might not know what to say or how to say it to God.

Think and Write

Have you ever tried to pray and couldn't find the words? What did you do?

_____

_____

_____

Señor, enséñanos a rezar

Incluso los discípulos de Jesús no encontraban las palabras precisas a la hora de rezar. Se acercaron a Jesús y le preguntaron si él podía enseñarlos a rezar. La respuesta de Jesús fue enseñarles el Padrenuestro, también llamado Oración del Señor (Mateo 6:9–13). En esta breve oración de solo 56 palabras, Jesús nos da las palabras que debemos usar para hablar con Dios.

Padre nuestro, que estás en el cielo,
santificado sea tu Nombre;
venga a nosotros tu Reino;
hágase tu voluntad
en la tierra como en el cielo.
Danos hoy
nuestro pan de cada día;
perdona nuestras ofensas,
como también nosotros perdonamos
a los que nos ofenden;
no nos dejes caer en la tentación,
y líbranos del mal.

Piensa y Escribe

Piensa en lo que significan las palabras de esta oración. Escribe lo que crees que recitas en cada frase del Padrenuestro.

Datos sobre nuestra fe: *No podemos cambiar la voluntad de Dios*

En Génesis 18:16–33 y Éxodo 32:1–14 nos encontramos con relatos que dan la impresión de que Abrahán y Moisés cambiaron la voluntad de Dios mediante la oración. En estos relatos Abrahán y Moisés parecen convencer a Dios de que no castigue a la gente por sus pecados. Sin embargo, en estas historias Dios está tratando de enseñarles (y de enseñarnos a nosotros) a seguir la voluntad de Dios, que es siempre la misericordia. Dios enseñó a Abrahán y Moisés a pedir la ayuda de Dios para aquellos que lo necesitan. Ellos estaban buscando la misericordia que Dios siempre había mostrado. Estas historias nos enseñan que Dios es un Dios de acción y que participa en nuestra vida. Él siempre atrae a la gente hacia él cuando ellos lo necesitan.

_____

_____

_____

_____

_____

_____

_____

_____

Lord, Teach Us to Pray

Even Jesus' disciples knew what it was like to be at a loss for words when it came to prayer. So they went to Jesus and asked him if he could teach them how to pray. Jesus responded by teaching them the Our Father, which is also called the Lord's Prayer (Matthew 6:9–13). In this short prayer of only 55 words, Jesus gives us the words to use to talk to God.

Our Father, who art in heaven,
hallowed be thy name;
thy Kingdom come;
thy will be done
on earth as it is in heaven.
Give us this day our daily bread;
and forgive us our trespasses
as we forgive those who trespass against us;
and lead us not into temptation,
but deliver us from evil.

 Think and Write

Think about what the words of this prayer mean. Write what you think you are saying as you pray each line of the Lord's Prayer.

 Facts of Our Faith:
We Can't Change God's Mind

In Genesis 18:16–33 and Exodus 32:1–14, we find stories that seem as if Abraham and Moses changed God's mind through prayer. In these stories, Abraham and Moses seem to convince God not to punish people because of their sins. However, in these stories, God is trying to teach them (and us) to follow God's will, which is always mercy. God taught Abraham and Moses to ask for God's help for those who needed it. They were seeking the mercy that God has always shown. These stories teach that God is a God of action and that he is involved in our lives. He draws people closer to him in their time of need.

_____

_____

_____

_____

_____

_____

_____

_____

144

CAPÍTULO 18
El Padrenuestro y la manera
en que funciona la oración

PUENTES A LA FE: PARTE 4

Lo que realmente decimos

Demos un vistazo a lo que decimos cuando rezamos el Padrenuestro.

- **Padre nuestro** No Padre "mío", sino Padre "nuestro". La primera frase de esta oración nos enseña que si tenemos el mismo padre, debemos ser hermanos y hermanas. Llamar a Dios "Padre" es mostrar que lo conocemos y que estamos cerca de él. No invocamos a un Dios que no conocemos, sino a uno que es nuestro Padre y nos reconoce como hijos suyos.

- **que estás en el cielo** Estas palabras no indican el lugar donde está Dios, sino la presencia de Dios para nosotros, pues el cielo no es otra cosa que estar plenamente en presencia de Dios. Estas palabras son palabras de alabanza.

- **santificado sea tu Nombre** Esta es la primera de siete **peticiones**, o pedidos, que componen el resto del Padrenuestro. *Santificado* es otra manera de decir *santo*. Nuestra petición es que todos honren y santifiquen el nombre de Dios. Estas palabras indican que el nombre de Dios es sagrado, y tienen el propósito de hacer una petición para que mantengamos sagrado el nombre de Dios. Como hijos de Dios y como pueblo al que se le llama cristiano, oramos para que la santidad de Dios se manifieste ante el mundo a través de nuestra fidelidad a Jesús.

- **venga a nosotros tu Reino** Declaramos nuestra dependencia del rey, Dios. Significa que viviremos como miembros del reino de Dios y seguiremos su ley. El reino de Dios está en nuestro corazón y en nuestra mente. Rezamos para que Dios, que es amor, reine sobre todas las personas y para que dependamos de él.

- **hágase tu voluntad en la tierra como en el cielo** La finalidad de la oración no es lograr lo que queremos, sino alinearnos con la voluntad de Dios o hacer su voluntad. Jesús es el ejemplo supremo de lo que significa vivir de acuerdo con la voluntad de Dios. En el Cielo, en presencia de Dios, la voluntad de Dios se lleva a cabo fielmente. Rezamos para poder seguir la voluntad de Dios.

- **Danos hoy nuestro pan de cada día** Rezamos para que todas las personas satisfagan las necesidades básicas de la vida, como el alimento y la vivienda.

- **perdona nuestras ofensas, como también nosotros perdonamos a los que nos ofenden** Le pedimos perdón a Dios, pero solo si también nosotros perdonamos a los demás de la misma manera en que ya hemos sido perdonados por Jesús. En esta petición reconocemos que no podemos experimentar en nuestro corazón la misericordia de Dios si no perdonamos a los demás.

- **no nos dejes caer en tentación** Le pedimos a Dios que nos ayude a alejarnos de los problemas.

- **y líbranos del mal** Necesitamos ser liberados del mal y del pecado, y solo la gracia y el amor de Dios pueden lograrlo.

What We're Really Saying

Let's take a closer look at just what we are saying in the Lord's Prayer.

- **Our Father** Not "my" but "our" Father. The first word of this prayer teaches us that if we have the same father, we must be brothers and sisters. To call God "Father" is to show that we know him and are close to him. We are not calling on a God that we do not know, but one who is our Father and knows us as his children.

- **who art in heaven** These words are not about *where* God is, but are about God's presence to us—for Heaven is nothing other than being fully in the presence of God. These words are words of praise.

- **hallowed be thy name** This is the first of seven **petitions,** or requests, which make up the rest of the Lord's Prayer. *Hallowed* is another word for *holy.* Our petition is that God's name will be honored and kept holy by all people. These words state that God's name is holy and that they serve as a petition that we keep God's name holy. As God's children and as people who are called Christians, we are praying that God's holiness will be shown to the world through our faithfulness to Jesus.

- **thy kingdom come** We declare our dependence on the king—God. This means that we will live as members of God's kingdom and follow his rule. God's kingdom is in our hearts and minds. We pray that God, who is love, will reign over all people and that we will depend on him.

- **thy will be done on earth as it is in heaven** Prayer is not about what we want, but it is about aligning ourselves with or doing God's will. Jesus is the supreme example of what it means to live according to God's will. In Heaven—in the presence of God—God's will is done faithfully. We pray that we might follow God's will.

- **Give us this day our daily bread** We pray that all people will have the basic necessities of life like food and shelter.

- **and forgive us our trespasses as we forgive those who trespass against us** We ask for God's forgiveness, but only if we forgive others in the same way that we have already been forgiven by Jesus. In this petition, we recognize that God's mercy cannot be felt in our hearts if we are still unforgiving toward others.

- **and lead us not into temptation** We ask God to help us stay out of trouble.

- **but deliver us from evil** We need to be saved from evil and sin, and only God's grace and love can do that.

145

CAPÍTULO 18
El Padrenuestro y la manera
en que funciona la oración

PUENTES A LA FE: PARTE 4

En esta oración tan especial alabamos a Dios y le pedimos lo que necesitamos. Consiste de siete peticiones. Las tres primeras tienen que ver con Dios. Nos ayudan a acercarnos a él: tu nombre, tu reino, tu voluntad. Dicen que lo honramos y lo seguiremos. Las últimas cuatro tienen que ver con nosotros y con lo que necesitamos de Dios: danos, perdónanos, no nos dejes y líbranos. Rezar esta oración nos ayuda a ser tan humildes y confiados como lo fue Jesús.

Datos sobre nuestra fe:
¿Dios es varón?

La gente puede pensar que Dios es varón porque usamos las palabras *Dios, nuestro Padre*, pero Dios no es ni hombre ni mujer. Llamamos a Dios con el nombre de Padre en el Padrenuestro porque ese es el nombre que nos reveló Jesús. También podemos describir a Dios utilizando características maternales, pues esto nos da otra idea de cuán amoroso y tierno es Dios.

¡Vívelo!

Cuando rezamos las palabras "Danos hoy nuestro pan de cada día", estamos pidiéndole a Dios que nos dé comida y alimento espiritual a nosotros y a todo el mundo. Escribe una manera en que puedes poner en práctica esta petición de ayudar a los demás a satisfacer sus necesidades.

_____

_____

_____

_____

_____

¿Y qué importa esto?

¿Por qué es importante que los católicos recemos el Padrenuestro? Porque significa que podemos rezarle a aquel que conocemos y que nos conoce: Dios, nuestro Padre. Significa que rezamos con las palabras que el propio Jesús nos entregó. Significa que rezamos con confianza, sabiendo que nuestras oraciones son escuchadas. Sabemos que cuando rezamos con estas palabras, nos alineamos más con Dios, a cuya imagen hemos sido creados.

In this very special prayer, we praise God and ask for what we need. There are seven petitions. The first three are about God. These help us draw close to him: thy name, thy kingdom, thy will. They say that we honor him and will follow him. The last four petitions are about us and what we need from God: give us, forgive us, lead us not, and deliver us. Praying this prayer helps us to become as humble and trusting as Jesus.

Facts of Our Faith: *Is God Male?*

People might think that God is male because we use the words *God our Father,* but God is neither male nor female. We call upon God as Father in the Lord's Prayer because that is the name revealed to us by Jesus. We can also describe God by using motherly characteristics because it gives us another idea of how loving and warm God is.

Live It!

When we pray the words "Give us this day our daily bread," we are asking God to provide food and spiritual nourishment for us and for all people. Write about one way you can live out this request to help others have what they need.

_____

_____

_____

_____

_____

So What?

So what difference does it make that Catholics pray the Lord's Prayer? It means that we can pray to the One who we know and who knows us—God our Father. It means that we pray in the words that Jesus himself gave us. It means that we pray with confidence, knowing that our prayers are heard. We know that as we pray these words, we are more closely aligning ourselves with God in whose image we are made.

146

CAPÍTULO 18
El Padrenuestro y la manera
en que funciona la oración

PUENTES A LA FE: PARTE 4

Repaso

Sagradas Escrituras

"Pidan y se les dará, busquen y encontrarán, llamen y se les abrirá, porque quien pide recibe, quien busca encuentra, a quien llama se le abrirá".

(Mateo 7:7–8)

Oración

Señor Jesús, gracias por enseñarme a rezar. Espíritu Santo, guíame y ayúdame a rezar sin cesar. Padre nuestro que estás en el cielo...

Ideas principales del capítulo

- Jesús les enseñó a sus discípulos el Padrenuestro para que aprendieran a rezar.
- La oración no se trata de lo que queremos, sino de lo que Dios quiere para nosotros.
- No rezamos para cambiar la voluntad de Dios, sino para que seamos nosotros quienes cambiemos.

Palabra a memorizar

petición

Responde

Piensa en las siete peticiones del Padrenuestro. Elige dos de ellas y di lo que significan para ti y cómo puedes enseñarles a otros a través de estas peticiones lo que Dios quiere para todo el mundo.

_____

_____

En casa

Comenta la siguiente pregunta con un adulto. Escribe tu respuesta.

Si tuvieras que hablar de la fe católica en un breve párrafo, ¿dirías que los católicos creen en qué?

_____

_____

Review

Scripture

"Ask and it will be given to you; seek and you will find; knock and the door will be opened to you. For everyone who asks, receives; and the one who seeks, finds; and to the one who knocks, the door will be opened."

(Matthew 7:7–8)

Prayer

Lord, Jesus, thank you for teaching me to pray. Holy Spirit, guide me and help me to pray without ceasing. Our Father who art in heaven, . . .

Chapter Highlights

- Jesus taught his disciples how to pray by teaching them the Lord's Prayer.
- Prayer is not about what we want, but what God wants for us.
- We do not pray to change God's mind, but to change ourselves.

Term to Remember

petition

React

Think about the seven petitions in the Lord's Prayer. Choose two and tell what they mean to you and how you can teach others what God wants for all people through these petitions.

_____

_____

At Home

Discuss this question with a grown-up. Write your answer.

If you had to tell about the Catholic faith in a short paragraph, what would you say Catholics believe?

_____

_____

Conclusión

Si bien es cierto que los puentes nos protegen al ayudarnos a cruzar con seguridad de una orilla a la otra, también es cierto que tenemos que cuidar los puentes para que no se debiliten y se derrumben. Cuando eso sucede, las personas pueden verse atrapadas en una orilla sin poder cruzar para ir a trabajar o a comprar comida.

En nuestra vida también tenemos que cuidar los puentes de la fe que nos protegen. Tenemos que fortalecerlos, asegurándonos de que no haya grietas que los debiliten o los hagan derrumbarse, lo que nos dejaría varados en un lugar donde el pecado podría dañarnos. ¿Cómo podemos fortalecer nuestros puentes a la fe? Aprendiendo constantemente más acerca de nuestra fe, celebrando los sacramentos, viviendo una buena vida moral y orando.

La vida es un viaje largo, así que necesitamos puentes a la fe largos y fuertes, que nos lleven a nuestro destino: la vida eterna con Jesús. Tu viaje recién ha comenzado. Sigue caminando con Jesús e invita a los demás a que se te unan en esta senda.

Conclusion

While it's true that bridges take care of us, helping us safely cross over from one side to another, it's also true that we need to take care of bridges so that they don't weaken and collapse. When that happens, people can find themselves stuck on one side, unable to cross over to get to school or work or to buy food.

Throughout our lives, we also need to take care of the bridges of faith that take care of us. We need to keep them strong, making sure that no cracks form that will weaken them and allow them to collapse, leaving us stranded in a place where sin can harm us. How do we keep our bridges to faith strong? By constantly learning more about our faith, by celebrating the sacraments, by living a good moral life, and by praying.

Life is a long journey and we need long, strong bridges of faith to carry us to our destination, which is eternal life with Jesus. Your journey has only just begun. May you continue to walk with Jesus and invite others to join you along the way.

Oraciones

Credo de Nicea-Costantinopla

Creo en un solo Dios,
Padre todopoderoso,
Creador del cielo y de la tierra,
de todo lo visible y lo invisible.

Creo en un solo Señor, Jesucristo,
Hijo único de Dios,
nacido del Padre antes de todos los siglos:
Dios de Dios,
Luz de Luz,
Dios verdadero de Dios verdadero,
engendrado, no creado,
de la misma naturaleza del Padre,
por quien todo fue hecho;
que por nosotros los hombres, y por nuestra
salvación descendió del cielo,
y por obra del Espíritu Santo se encarnó de
María, la Virgen, y se hizo hombre;
y por nuestra causa fue crucificado
en tiempos de Poncio Pilato;
padeció y fue sepultado,
y resucitó al tercer día, según las Escrituras,
y subió al cielo, y está sentado a la derecha
del Padre; y de nuevo vendrá con gloria,
para juzgar a vivos y muertos,
y su reino no tendrá fin.

Creo en el Espíritu Santo,
Señor y dador de vida,
que procede del Padre y del Hijo,
que con el Padre y el Hijo recibe
una misma adoración y gloria,
y que habló por los profetas.

Creo en la Iglesia que es una,
santa, católica y apostólica.

Confieso que hay un solo Bautismo
para el perdón de los pecados.

Espero la resurrección de los muertos
y la vida del mundo futuro.
Amén.

Prayers

Nicene Creed

*I believe in one God,
the Father almighty,
maker of heaven and earth,
of all things visible and invisible.*

*I believe in one Lord Jesus Christ,
the Only Begotten Son of God,
born of the Father before all ages.
God from God, Light from Light,
true God from true God,
begotten, not made, consubstantial with the Father;
through him all things were made.
For us men and for our salvation
he came down from heaven,
and by the Holy Spirit was incarnate of the Virgin Mary,
and became man.*

*For our sake he was crucified under Pontius Pilate,
he suffered death and was buried,
and rose again on the third day
in accordance with the Scriptures.
He ascended into heaven
and is seated at the right hand of the Father.
He will come again in glory
to judge the living and the dead
and his kingdom will have no end.*

*I believe in the Holy Spirit, the Lord, the giver of life,
who proceeds from the Father and the Son,
who with the Father and the Son is adored and glorified,
who has spoken through the prophets.*

*I believe in one, holy, catholic and apostolic Church.
I confess one baptism for the forgiveness of sins
and I look forward to the resurrection of the dead
and the life of the world to come. Amen.*

Símbolo de los Apóstoles (Credo de los Apóstoles)

Creo en Dios,
Padre Todopoderoso,
Creador del cielo y de la tierra.

Creo en Jesucristo, su único Hijo,
Nuestro Señor,
que fue concebido por obra y
gracia del Espíritu Santo,
nació de Santa María Virgen,
padeció bajo el poder de Poncio Pilato
fue crucificado,
muerto y sepultado,
descendió a los infiernos,
al tercer día resucitó de entre
los muertos,
subió a los cielos
y está sentado a la derecha
de Dios, Padre todopoderoso.
Desde allí ha de venir a
juzgar a vivos y muertos.

Creo en el Espíritu Santo,
la santa Iglesia católica,
la comunión de los santos,
el perdón de los pecados,
la resurrección de la carne
y la vida eterna.

Amén.

Avemaría

Dios te salve María,
llena eres de gracia;
el Señor es contigo.
Bendita Tú eres
entre todas las mujeres,
y bendito es el fruto de tu vientre, Jesús.
Santa María, Madre de Dios,
ruega por nosotros, pecadores,
ahora y en la hora de nuestra muerte.
Amén.

Padrenuestro

Padre nuestro que estás en el cielo,
santificado sea tu Nombre;
venga a nosotros tu Reino;
hágase tu voluntad
en la tierra como en el cielo.
Danos hoy
nuestro pan de cada día;
perdona nuestras ofensas,
como también nosotros perdonamos
a los que nos ofenden;
no nos dejes caer en la tentación,
y líbranos del mal.
Amén.

Acto de Contrición

Dios mío,
me arrepiento de todo corazón
de todos mis pecados
y los aborrezco,
porque al pecar,
no solo merezco
las penas establecidas por ti
justamente,
sino principalmente porque te ofendí,
a ti sumo Bien y digno de amor
por encima de todas las cosas.
Por eso propongo firmemente,
con ayuda de tu gracia,
no pecar más en adelante
y huir de toda ocasión de pecado.
Amén.

Apostles' Creed

I believe in God,
the Father almighty,
Creator of heaven and earth,
and in Jesus Christ, his only Son, our Lord,
who was conceived by the Holy Spirit,
born of the Virgin Mary,
suffered under Pontius Pilate,
was crucified, died and was buried;
he descended into hell;
on the third day he rose again from the dead;
he ascended into heaven,
and is seated at the right hand of God the Father
    almighty;
from there he will come to judge the living and
    the dead.

I believe in the Holy Spirit,
the holy catholic Church,
the communion of saints,
the forgiveness of sins,
the resurrection of the body,
and life everlasting. Amen.

Hail Mary

Hail Mary, full of grace,
the Lord is with you.
Blessed are you among women,
and blessed is the fruit of your womb, Jesus.
Holy Mary, Mother of God,
pray for us sinners,
now and at the hour of our death. Amen.

Lord's Prayer

Our Father, who art in heaven,
hallowed be thy name;
thy kingdom come,
thy will be done
on earth as it is in heaven.
Give us this day our daily bread,
and forgive us our trespasses
as we forgive those who trespass against us;
and lead us not into temptation,
but deliver us from evil.
Amen.

Act of Contrition

My God,
I am sorry for my sins with all my heart.
In choosing to do wrong
and failing to do good,
I have sinned against you
whom I should love above all things.
I firmly intend, with your help,
to do penance,
to sin no more,
and to avoid whatever leads me to sin.
Our Savior Jesus Christ
suffered and died for us.
In his name, my God, have mercy.

Salve Regina

Dios te salve, Reina
y Madre de misericordia,
vida, dulzura y esperanza nuestra;
Dios te salve.
A ti llamamos
los desterrados hijos de Eva
a ti suspiramos, gimiendo y llorando
en este valle de lágrimas.
Ea, pues, Señora, abogada nuestra,
vuelve a nosotros tus ojos misericordiosos;
y después de este destierro,
muéstranos a Jesús,
fruto bendito de tu vientre.

¡Oh, clementísima, oh piadosa,
oh dulce Virgen María!

Confiteor (Acto Penitencial)

Yo confieso ante Dios todopoderoso
y ante ustedes, hermanos,
que he pecado mucho
de pensamiento, palabra, obra y omisión.

(Golpeándose el pecho, dicen:)

Por mi culpa, por mi culpa, por mi gran culpa.
Por eso ruego a santa María, siempre Virgen,
a los ángeles, a los santos
y a ustedes, hermanos,
que intercedan por mí ante Dios,
nuestro Señor.

Gloria al Padre

Gloria al Padre
y al Hijo
y al Espíritu Santo.
Como era en el principio,
ahora y siempre,
por los siglos de los siglos.
Amén.

Señal de la Cruz

En el nombre del Padre
y del Hijo
y del Espíritu Santo.
Amén.

Hail, Holy Queen *(Salve Regina)*

Hail, holy Queen, Mother of mercy,
hail, our life, our sweetness, and our hope.
To you we cry, the children of Eve;
to you we send up our sighs,
mourning and weeping in this land of exile.
Turn, then, most gracious advocate,
your eyes of mercy toward us;
lead us home at last
and show us the blessed fruit of your womb, Jesus:
O clement, O loving, O sweet Virgin Mary.

Confiteor (Penitential Act)

I confess to almighty God
and to you, my brothers and sisters,
that I have greatly sinned
in my thoughts and in my words,
in what I have done and in what I have failed to do,

(and, striking their breast, they say:)

through my fault, through my fault,
through my most grievous fault;
therefore I ask blessed Mary ever-Virgin,
all the Angels and Saints,
and you, my brothers and sisters,
to pray for me to the Lord our God.

Glory Be to the Father

Glory be to the Father,
and to the Son,
and to the Holy Spirit.
As it was in the beginning,
is now, and ever shall be,
world without end.
Amen.

Sign of the Cross

In the name of the Father,
and of the Son,
and of the Holy Spirit.
Amen.

Glosario

Adviento las cuatro semanas antes de Navidad. Es un tiempo de preparación gozosa para la celebración del nacimiento de Jesús como nuestro Salvador. [Advent]

alianza acuerdo solemne entre personas o entre los seres humanos y Dios. Dios estableció alianzas con la humanidad por medio de acuerdos con Noé, Abrán y Moisés. Estas alianzas ofrecían la Salvación. La Alianza nueva y final de Dios fue establecida por medio de la vida, muerte, Resurrección y Ascensión de Jesús. [covenant]

apostólica uno de los cuatro atributos de la Iglesia. La Iglesia es apostólica porque transmite las enseñanzas de los apóstoles a través de sus sucesores, los obispos. [apostolic]

atributos de la Iglesia las cuatro características más importantes de la Iglesia. La Iglesia es una, santa, católica y apostólica. [Marks of the Church]

Bautismo uno de los tres sacramentos de la Iniciación. El Bautismo nos libera del pecado original y nos da nueva vida en Jesucristo a través del Espíritu Santo. [Baptism]

Bienaventuranzas las ocho maneras en que podemos comportarnos para vivir una vida de bendición. Jesús nos enseña que, si vivimos de acuerdo a las Bienaventuranzas, viviremos una vida cristiana feliz. [Beatitudes]

calendario litúrgico el calendario que nos indica cuándo celebrar las festividades del nacimiento, vida, muerte, Resurrección y Ascensión de Jesús. [liturgical calendar]

católica uno de los cuatro atributos de la Iglesia. La Iglesia es católica porque Jesús está presente en su totalidad en ella y porque Jesús le ha dado la Iglesia al mundo entero. [catholic]

comunidad los cristianos reunidos en el nombre de Jesucristo para recibir su gracia y vivir de acuerdo a sus valores. [community]

Confirmación el sacramento que completa la gracia que recibimos en el Bautismo. La Confirmación sella, o confirma, esta gracia a través de los siete dones del Espíritu Santo, que recibimos en el sacramento. La Confirmación afianza aun más nuestra unidad con Jesucristo. [Confirmation]

conciencia la voz interior que nos ayuda a cada uno de nosotros a conocer la ley que Dios ha puesto en nuestro corazón. La conciencia nos guía para hacer el bien y evitar el mal. [conscience]

corresponsabilidad la administración prudente y responsable de algo que ha sido encomendado a nuestro cuidado, especialmente los bienes de la creación, que están destinados para la raza humana en su totalidad. El sexto precepto de la Iglesia deja claro nuestro papel en esta administración al requerir que atendamos a las necesidades materiales de la Iglesia en la medida de nuestras posibilidades. [stewardship]

Credo de Nicea resumen de las creencias cristianas, elaborado por los obispos en los dos primeros concilios de la Iglesia, en los años 325 y 381 d.C. Este es el credo compartido por la mayoría de los cristianos de Oriente y Occidente. [Nicene Creed]

cristiano nombre dado a todo aquel que ha sido ungido mediante el don del Espíritu Santo en el Bautismo y que se ha convertido en seguidor de Jesucristo. [Christian]

culto la adoración y el honor que se ofrecen a Dios mediante la oración litúrgica. [worship]

Cuaresma tiempo de seis semanas en las que nos preparamos, con oraciones y comportamientos especiales, para celebrar la Resurrección de Jesús de entre los muertos el domingo de Pascua. Jesús resucitó de entre los muertos para salvarnos. [Lent]

decisión moral opción de hacer el bien. Tomamos decisiones morales porque estas nos ayudan a estar cada vez más cerca de Dios. También lo hacemos porque tenemos la libertad de escoger el bien y evitar el mal. [moral choice]

Glossary

Advent the four weeks before Christmas. It is a time of joyful preparation for the celebration of the Incarnation, Jesus' birth as our Savior. [Adviento]

apostolic one of the four Marks of the Church. The Church is apostolic because it hands on the teachings of the apostles through their successors, the bishops. [apostólica]

Baptism one of the three Sacraments of Initiation. Baptism frees us from Original Sin and gives us new life in Jesus Christ through the Holy Spirit. [Bautismo]

bishop a man who has received the fullness of Holy Orders. As a successor to the original apostles, he takes care of the Church and is a principal teacher in it. [obispo]

Beatitudes the ways we can behave to live a blessed life. Jesus teaches us that if we live according to the Beatitudes, we will live a happy Christian life. [Bienaventuranzas]

catholic one of the four Marks of the Church. The Church is catholic because Jesus is fully present in it and because Jesus has given the Church to the whole world. [católica]

Christian the name given to all those who have been anointed through the gift of the Holy Spirit in Baptism and have become followers of Jesus Christ [cristiano]

Christmas the feast of the birth of Jesus (December 25) [Navidad]

commandment a standard, or rule, for living as God wants us to live. Jesus summarized all the commandments into two: love God and love your neighbor. [mandamiento]

Communion of Saints the union of all who have been saved in Jesus Christ, both those who are alive and those who have died [Comunión de los Santos]

community Christians who are gathered in the name of Jesus Christ to receive his grace and live according to his values [comunidad]

Confirmation the sacrament that completes the grace we receive in Baptism. Confirmation seals, or confirms, this grace through the seven Gifts of the Holy Spirit that we receive as part of Confirmation. This sacrament also unites us more closely in Jesus Christ. [Confirmación]

conscience the inner voice that helps each of us to know the law that God has placed in our hearts. It guides us to do good and avoid evil. [conciencia]

Corporal Works of Mercy kind acts by which we help our neighbors with their everyday material needs. Corporal Works of Mercy include feeding the hungry, giving drink to the thirsty, clothing the naked, sheltering the homeless, visiting the sick and the imprisoned, and burying the dead. [obras de misericordia corporales]

covenant a solemn agreement between people or between people and God. God made covenants with humanity through agreements with Noah, Abraham, and Moses. These covenants offered Salvation. God's new and final covenant was established through Jesus' life, Death, Resurrection, and Ascension. [alianza]

deacon a man ordained through the Sacrament of Holy Orders to the ministry of service in the Church. Deacons help the bishop and priests by serving in the various charitable ministries of the Church. [diácono]

diácono hombre ordenado por medio del sacramento del Orden para ayudar al obispo y a los sacerdotes en el trabajo de la Iglesia. [deacon]

discípulo persona que ha aceptado el mensaje de Jesús e intenta vivir como él vivió. [disciple]

ecumenismo el movimiento para lograr unidad entre los cristianos. Cristo dio a la Iglesia el don de la unidad desde el principio, pero a lo largo de los siglos esa unidad se ha roto. Todos los cristianos están llamados por su Bautismo común a rezar y trabajar para mantener, reforzar y perfeccionar la unidad que Cristo quiere para la Iglesia. [ecumenism]

Epifanía el día en el que celebramos la visita de los magos a Jesús después de su nacimiento. Este es el día en el que Jesús fue revelado como el Salvador del mundo entero. [Epiphany]

Eucaristía el sacramento en el que damos gracias a Dios por darnos el Cuerpo y la Sangre de Jesucristo. Este sacramento nos lleva a la unión con Jesucristo y con su muerte y Resurrección salvadoras. [Eucharist]

evangelización la proclamación, o el declarar con la palabra y el ejemplo, la buena nueva de la Salvación que hemos recibido en Jesucristo. La evangelización es el compartir nuestra fe con los demás, tanto con los que no conocen a Jesús como con aquellos que están llamados a seguir a Jesús más de cerca. [evangelization]

examen de conciencia el acto de reflexionar en actitud orante acerca de lo que hemos dicho o hecho que puede haber dañado nuestra relación con Dios o con los demás. El examen de conciencia es una parte importante de la preparación para celebrar el sacramento de la Penitencia y la Reconciliación. [examination of conscience]

excomunión castigo severo impuesto por las autoridades de la Iglesia ante crímenes graves en contra de la religión católica. Una persona que es excomulgada es excluida de participar en la Eucaristía, en los otros sacramentos y en el ministerio en la Iglesia. [excommunication]

gracia don de Dios que se nos ha dado sin que nos lo merezcamos. La gracia nos llena de la vida de Dios y nos permite ser siempre sus amigos. La gracia también nos ayuda a vivir como Dios quiere que vivamos. [grace]

gracia santificante don de Dios que se nos ha dado sin que nos lo hayamos ganado. Este don nos une con la vida de la Trinidad y cura nuestra naturaleza humana, que ha sido dañada por el pecado. La gracia santificante continúa la obra de llegar a hacernos santos que comenzó en nuestro Bautismo. [sanctifying grace]

hijo pródigo el segundo hijo en la parábola de Jesús de Lucas 15:11–32, que exige la herencia de su padre, se marcha y derrocha todo el dinero, y que abandonado por aquellos que creía que eran sus amigos, termina sumido en la pobreza. Se arrepiente, vuelve a su padre y experimenta el poder del perdón incondicional. [prodigal son]

humildad la actitud de no actuar con orgullo desmerecido ante nuestros propios logros, ya que todos nuestros dones y talentos vienen de Dios. [humility]

justicia el deseo fuerte y firme de darles a Dios y a los demás lo que se les debe. La justicia es una de las cuatro virtudes humanas fundamentales, conocidas como virtudes cardinales, que sirven de guía para nuestra vida cristiana. [justice]

justicia social el trato justo e igualitario para cada miembro de la sociedad. Se requiere justicia social por la dignidad y libertad de cada persona y la misma está arraigada en la Biblia y en las Tradición de la Iglesia. [social justice]

laicado aquellos que se han hecho miembros de Cristo en el Bautismo y que participan en las funciones de Jesús como sacerdote, profeta y rey en su misión por el mundo. El laicado es diferente del clero, ya que los miembros del clero se distinguen porque han sido instituidos como ministros para servir a la Iglesia. [laity]

libre voluntad nuestra habilidad para escoger

disciple a person who has accepted Jesus' message and tries to live as Jesus did [discípulo]

Easter the celebration of the bodily raising of Jesus Christ from the dead. Easter is the festival of our redemption and the central Christian feast. [Pascua]

ecumenism the movement for unity among Christians. Christ gave the Church the gift of unity from the beginning, but over the centuries that unity has been broken. All Christians are called by their common Baptism to pray and to work to maintain, reinforce, and perfect the unity Christ wants for the Church. [ecumenismo]

Epiphany the day on which we celebrate the visit of the Magi to Jesus after his birth. This is the day that Jesus was revealed as the Savior of the whole world. [Epifanía]

Eucharist the sacrament in which we give thanks to God for giving us the Body and Blood of Jesus Christ. This sacrament brings us into union with Jesus Christ and his saving Death and Resurrection. [Eucaristía]

evangelization the proclamation, or declaring by word and by example, of the good news about the Salvation we have received in Jesus Christ. Evangelization is a sharing of our faith with others, both those who do not know Jesus and those who are called to follow Jesus more closely. [evangelización]

examination of conscience the act of prayerfully thinking about what we have said or done that may have hurt our relationship with God or with others. An examination of conscience is an important part of preparing to celebrate the Sacrament of Penance and Reconciliation. [examen de conciencia]

excommunication a severe penalty that is imposed by the Church authorities for serious crimes against the Catholic religion. A person who is excommunicated is excluded from participating in the Eucharist and the other sacraments and from ministry in the Church. [excomunión]

free will our ability to choose to do good because God has made us like him [libre voluntad]

grace the gift from God given to us without our deserving it. Sanctifying grace fills us with God's life and enables us always to be his friends. Grace also helps us to live as God wants us to live. [gracia]

Holy Week the celebration of the events surrounding Jesus' suffering, Death, Resurrection, and establishment of the Eucharist. Holy Week commemorates Jesus' triumphal entry into Jerusalem on Palm Sunday, the gift of himself in the Eucharist on Holy Thursday, his Death on Good Friday, and his Resurrection at the Easter Vigil on Holy Saturday. [Semana Santa]

humility not taking undue pride in our own achievements as all our gifts and talents come from God. [humildad]

justice the strong, firm desire to give to God and others what is due them. Justice is one of the four central human virtues, called the Cardinal Virtues, by which we guide our Christian life. [justicia]

laity those who have been made members of Christ in Baptism and who participate in the priestly, prophetic, and kingly functions of Christ in his mission to the whole world. The laity is distinct from the clergy, whose members are set apart as ministers to serve the Church. [laicado]

Lent six weeks during which we prepare to celebrate, with special prayers and action, the rising of Jesus from the dead at Easter. Jesus rose from the dead to save us. [Cuaresma]

liturgical calendar the calendar that tells us when to celebrate the feasts of Jesus' birth, life, Death, Resurrection, and Ascension [calendario litúrgico]

liturgy the public prayer of the Church that celebrates the wonderful things God has done for us in Jesus Christ [liturgia]

hacer el bien gracias a que Dios nos ha hecho como él. [free will]

liturgia la oración pública de la Iglesia, que celebra las cosas maravillosas que Dios ha hecho por nosotros en Jesucristo. [liturgy]

Magisterio el oficio vivo de enseñanza de la Iglesia. Este oficio, a través de los obispos y con el papa, ofrece una auténtica interpretación de la Palabra de Dios. Se asegura de serle fiel a las enseñanzas de los apóstoles en todo lo que se refiere a la fe y la moral. [Magisterium]

mandamiento una norma, o regla, que nos orienta a vivir de acuerdo a como Dios quiere que vivamos. Jesús resumió todos los mandamientos en dos: ama a Dios y ama a tu prójimo. [commandment]

María Magdalena: seguidora de Jesús que acompañó a Cristo y se dedicó a él (Lucas 8:2–30). Estuvo presente al pie de la cruz, fue testigo de cómo sepultaban a Cristo y fue la primera testigo de su Resurrección (Mateo 28:1–10; Marcos 16:1–8; Lucas 24:10). Se le conoce especialmente por su encuentro con Jesús resucitado según el Evangelio de Juan (Juan 20:1–18). [Mary Magdalene]

Matrimonio acuerdo solemne entre una mujer y un hombre para ser compañeros de por vida, tanto por el bien de ambos como para la crianza de los hijos. El matrimonio es un sacramento cuando el acuerdo se efectúa adecuadamente entre cristianos bautizados. [Matrimony]

meditación una manera de rezar que consiste en hacer silencio y escuchar, y que, a través de la imaginación, las emociones y el deseo, busca entender y responder a lo que Dios nos pide. [meditation]

Memorare oración en la que se pide la intercesión de la Virgen María, Madre de Dios, por sus hijos. En esta oración el que hace la petición busca la protección de la Virgen María, inspirándose en la completa confianza en el deseo que María tiene de ayudar. [Memorare]

Misal libro litúrgico que contiene los textos y los ritos para la celebración de la misa en el Ritual Romano de la Iglesia Católica. [Missal]

misericordia el don de poder responder a los necesitados con cuidado y compasión. El don de la misericordia es una gracia que nos da Jesucristo. [mercy]

Misterio Pascual la obra de la Salvación realizada por Jesucristo mediante su Pasión, muerte, Resurrección y Ascensión. El Misterio Pascual se celebra en la liturgia de la Iglesia y experimentamos sus efectos salvíficos en los sacramentos. [Paschal Mystery]

Navidad el día que celebramos el nacimiento de Jesús (25 de diciembre). [Christmas]

Noé según Génesis 6:9, un hombre recto y honrado que trataba con Dios. Como tal, en medio de un mundo corrupto, Noé fue elegido para guiar a su familia al arca junto con una variedad de animales. El arca fue un refugio construido por Noé bajo el mandato de Dios para que él y su familia se protegieran del diluvio universal que Dios envió a la tierra. [Noah]

obispo hombre que ha recibido la plenitud del sacramento del Orden. Como sucesor de los primeros apóstoles, es uno de los principales maestros de la Iglesia hoy en día y cuida de ella. [bishop]

obras de misericordia corporales actos de bondad mediante los cuales ayudamos al prójimo a satisfacer sus necesidades materiales diarias. Las obras de misericordia corporales incluyen: dar de comer al hambriento, dar de beber al sediento, vestir al desnudo, dar posada al peregrino, visitar y cuidar a los enfermos, redimir al cautivo y enterrar a los muertos. [Corporal Works of Mercy]

obras de misericordia espirituales actos de bondad mediante los cuales ayudamos al prójimo a satisfacer necesidades que van más allá de lo material. Las obras espirituales de misericordia incluyen: dar buen consejo al que lo necesita, enseñar al que no sabe, corregir al que yerra, consolar al triste, perdonar las injurias, sufrir con paciencia los defectos de los demás y rogar a Dios por vivos y difuntos. [Spiritual Works of Mercy]

Magisterium the living, teaching office of the Church. This office, through the bishops and with the pope, provides an authentic interpretation of the Word of God. It ensures faithfulness to the teaching of the apostles in matters of faith and morals. [Magisterio]

Marks of the Church the four most important characteristics of the Church. The Church is one, holy, catholic, and apostolic. [atributos de la Iglesia]

Mary Magdalene a follower of Jesus who accompanied Christ and ministered to him (Luke 8:2–30). She was present at the foot of the cross, witnessed Christ being placed in the tomb, and is the first witness to his Resurrection (Matthew 28:1–10; Mark 16:1–8; Luke 24:10). She is especially noted for her encounter with the risen Jesus in the Gospel of John (John 20:1–18). [María Magdalena]

Matrimony a solemn agreement between a woman and a man to be partners for life, both for their own good and for raising children. Marriage is a sacrament when the agreement is properly made between baptized Christians. [Matrimonio]

meditation a form of prayer using silence and listening that seeks through imagination, emotion, and desire to understand and respond to what God is asking. [meditación]

Memorare a prayer of petition for Mary, the Mother of God's intercession on behalf of her children. In the prayer the petitioner seeks Mary's protection, inspired by complete confidence in Mary's willingness to help. [*Memorare*]

mercy the gift to be able to respond to those in need with care and compassion. The gift of mercy is a grace given to us by Jesus Christ. [misericordia]

Missal the liturgical book that contains the texts and the rites for the celebration of the Mass in the Roman Rite of the Catholic Church. [Misal]

moral choice a choice to do what is right or not do what is wrong. We make moral choices because they are what we believe God wants and because we have the freedom to choose what is right and avoid what is wrong. [decisión moral]

Nicene Creed the summary of Christian beliefs developed by the bishops at the first two councils of the Church, held in A.D. 325 and 381. It is the Creed shared by most Christians in the East and in the West. [Credo de Nicea]

Noah According to Genesis 6:9, Noah was a righteous man who walked with God. As such, in the midst of a corrupt world, Noah was chosen to lead his family into the ark with a variety of animals. The ark was a place of refuge built by Noah on God's command to protect him and his family from the universal flood that God sent upon the earth. [Noé]

Ordinary Time the part of the liturgical year outside of the seasons and feasts and the preparation for them [Tiempo Ordinario]

Paschal Mystery the work of Salvation accomplished by Jesus Christ through his Passion, Death, Resurrection, and Ascension. The Paschal Mystery is celebrated in the liturgy of the Church. We experience its saving effects in the sacraments. [Misterio Pascual]

penance the turning away from sin with a desire to change our life and more closely live the way God wants us to live. We express our penance externally by praying, fasting, and helping those who are poor. This is also the name of the action that the priest asks us to take or the prayers that he asks us to pray after he absolves us in the Sacrament of Penance and Reconciliation. [penitencia]

oración levantar nuestro corazón y nuestra mente hacia Dios. Somos capaces de hablar y escuchar a Dios en la oración porque él nos enseña cómo hacerlo. [prayer]

Pascua la celebración del levantamiento corporal de Jesucristo de entre los muertos. La Pascua es la fiesta cristiana más importante. [Easter]

pecado nuestra decisión de hacer algo que ofende a Dios y daña nuestras relaciones con los demás. Algunos pecados son mortales y hay que confesarlos en el sacramento de la Penitencia y la Reconciliación. Otros pecados son veniales, o menos serios. [sin]

penitencia el alejarnos del pecado, deseando cambiar nuestra vida y vivir más de acuerdo a como Dios quiere que vivamos. Expresamos nuestra penitencia mediante signos externos como la oración, el ayuno y la ayuda a los pobres. Llamamos así también a aquello que el sacerdote nos pide que hagamos, o a las oraciones que nos pide que recemos, tras absolvernos en el sacramento de la Penitencia y la Reconciliación. [penance]

Pentecostés 50 días después de que Jesús resucitara de entre los muertos, el Espíritu Santo fue enviado desde el Cielo y nació la Iglesia. [Pentecost]

petición ruego que le hacemos a Dios pidiéndole que satisfaga una necesidad. Cuando compartimos en el amor salvífico de Dios, comprendemos que podemos pedirle a Dios que nos ayude con cualquier necesidad, lo hacemos a través de una petición. [petition]

Purgatorio después de la muerte, estado de depuración final de todas nuestras imperfecciones humanas para prepararnos para entrar en la alegría de la presencia de Dios en el Cielo. [Purgatory]

redención el ser liberados del pecado mediante la vida, muerte en la cruz, Resurrección de entre los muertos y Ascensión al cielo de Jesucristo. [redemption]

Redentor Jesucristo, cuya vida, muerte en la cruz, Resurrección de entre los muertos y Ascensión al Cielo, nos libera del pecado y nos trae redención. [Redeemer]

Resurrección el levantamiento corporal de Jesucristo de entre los muertos al tercer día después de su muerte en la cruz. La Resurrección es la verdad suprema de nuestra fe. [Resurrection]

Revelación la forma en que Dios se ha comunicado con nosotros mediante las palabras que ha usado y las acciones que ha emprendido a lo largo de la historia. La revelación nos muestra el misterio de su plan para nuestra salvación, que reside en su Hijo, Jesucristo. [Revelation]

ritual una de las muchas formas de celebrar la liturgia en la Iglesia. Un ritual puede diferir de acuerdo a la cultura o al país donde se celebra. *Ritual* también significa "la manera especial en que celebramos cada sacramento." [rite]

sacerdote un hombre que ha aceptado el llamado especial de Dios para servir a la Iglesia, guiándola y animándola mediante la celebración de los sacramentos. [priest]

sacramental objeto, oración o bendición dados por la Iglesia para que nos ayude a crecer en nuestra vida espiritual. [sacramental]

sacramento cada uno de los siete modos a través de los cuales la vida de Dios entra en nuestra vida mediante la obra del Espíritu Santo. Jesús nos dio tres sacramentos que nos incorporan a la Iglesia: el Bautismo, la Confirmación y la Eucaristía. Nos dio dos sacramentos que nos traen curación: el de la Penitencia y la Reconciliación, y la Unción de los Enfermos. También nos dio dos sacramentos que ayudan a los miembros de la Iglesia a servir a la comunidad: el Matrimonio y el Orden. [sacrament]

sacramentos de la Iniciación los sacramentos que constituyen el fundamento de nuestra vida cristiana. Nacemos de nuevo en el Bautismo, somos fortalecidos por la Confirmación y recibimos en la Eucaristía el alimento de la vida eterna. [Sacraments of Initiation]

Pentecost the 50th day after Jesus was raised from the dead. On this day, the Holy Spirit was sent from Heaven, and the Church was born. [Pentecostés]

petition a request of God, asking him to fulfill a need. When we share in God's saving love, we understand that every need is one that we can ask God to help us with through petition. [petición]

prayer the raising of our hearts and minds to God. We are able to speak to and listen to God in prayer because he teaches us how to do so. [oración]

priest a man who has accepted God's special call to serve the Church by guiding it and building it up through the ministry of the Word and the celebration of the sacraments [sacerdote]

prodigal son The second son in Jesus' parable in Luke 15:11–32, who demands his inheritance from his father. He leaves and spends the money wastefully and, deserted by his so-called friends, ends up in abject poverty. He repents, returns to his father, and experiences the power of unconditional forgiveness. [hijo pródigo]

Promised Land the land first promised by God to Abraham. It was to this land that God told Moses to lead the Chosen People after they were freed from slavery in Egypt and received the Ten Commandments at Mount Sinai. [tierra prometida]

Purgatory a state of final cleansing after death of all our human imperfections to prepare us to enter into the joy of God's presence in Heaven [Purgatorio]

Redeemer Jesus Christ, whose life, Death on the cross, Resurrection from the dead, and Ascension into Heaven set us free from sin and brings us redemption [Redentor]

redemption our being set free from sin through the life, Death on the cross, Resurrection from the dead, and Ascension into Heaven of Jesus Christ [redención]

Resurrection the bodily raising of Jesus Christ from the dead on the third day after his Death on the cross. The Resurrection is the crowning truth of our faith. [Resurrección]

Revelation God's communication of himself to us through the words and deeds he has used throughout history. Revelation shows us the mystery of his plan for our Salvation in his Son, Jesus Christ. [Revelación]

rite one of the many forms followed in celebrating liturgy in the Church. A rite may differ according to the culture or country where it is celebrated. *Rite* also means "the special form for celebrating each sacrament." [rito]

sacrament one of seven ways through which God's life enters our lives through the work of the Holy Spirit. Jesus gave us three sacraments that bring us into the Church: Baptism, Confirmation, and the Eucharist. He gave us two sacraments that bring us healing: Penance and Reconciliation and the Anointing of the Sick. He also gave us two sacraments that help members serve the community: Matrimony and Holy Orders. [sacramento]

sacramental object, prayer, or blessing given by the Church to help us grow in our spiritual life [sacramental]

sacrifice a ritual offering of animals or produce made to God by the priest in the Temple in Jerusalem. Sacrifice was a sign of the people's adoration of God, giving thanks to God, or asking for his forgiveness. Sacrifice also showed union with God. The great high priest, Christ, accomplished our redemption through the perfect sacrifice of his Death on the cross. [sacrificio]

saint holy person who has died united with God. The Church has said that these people are now with God forever in Heaven. [santo]

Salvation the gift of forgiveness of sin and the restoration of friendship with God. God alone can give us Salvation. [Salvación]

sacrificio ofrenda ritual de animales u otros productos alimenticios hecha a Dios por el sacerdote en el Templo de Jerusalén. Hacer sacrificios era una señal de la veneración de las personas a Dios, dándole gracias o pidiéndole su perdón. Hacer sacrificios también es una muestra de unión con Dios. El gran sumo sacerdote, Cristo, logró nuestra redención con el perfecto sacrificio de su muerte en la cruz. [sacrifice]

Sagradas Escrituras los escritos sagrados de judíos y cristianos recopilados en el Antiguo y el Nuevo Testamento de la Biblia. [Scripture]

Salvación el don de perdonar el pecado y la restauración de la amistad con Dios. Solo Dios puede darnos la Salvación. [Salvation]

santo persona bendita que ha muerto en unión con Dios. La Iglesia dice que esta persona está con Dios ahora y para siempre en el Cielo. [saint]

Semana Santa celebración de los acontecimientos en torno a la institución de la Eucaristía por Jesús, su Pasión, muerte y Resurrección. La Semana Santa conmemora la entrada triunfal de Jesús en Jerusalén el Domingo de Ramos, el don de sí mismo en la Eucaristía el Jueves Santo, su muerte el Viernes Santo y su Resurrección, durante la Vigilia Pascual, el Sábado Santo. [Holy Week]

solidaridad el principio de la igualdad en cuanto a la dignidad de todas las personas, por ser hijas e hijos de Dios. De acuerdo con este principio, los individuos están llamados a comprometerse a trabajar por el bien común, compartiendo los bienes materiales y espirituales. [solidarity]

Tiempo Ordinario el tiempo más largo del año litúrgico. Se divide en dos períodos: el primero, después de la Navidad, y el segundo, después del Pentecostés. El primer período se centra en la infancia y el ministerio público de Jesús; el segundo, en el reinado de Cristo como Rey de reyes. [Ordinary Time]

tierra prometida el territorio que Dios le prometió primero a Abrahán. Fue a esta tierra a la que Dios le pidió a Moisés que guiara al pueblo elegido cuando después de liberarlo de la esclavitud en Egipto le dio los Diez Mandamientos en el monte Sinaí. [Promised Land]

Tradición las creencias y prácticas de la Iglesia que han sido transmitidas de una generación a la siguiente bajo la guía del Espíritu Santo. Lo que Cristo les confió a los apóstoles fue transmitido de forma oral y escrita. [Tradition]

Triduo el período de tres días que comienza con la misa de la Última Cena el Jueves Santo por la noche y termina con la misa de la Vigilia Pascual el Sábado Santo. [Triduum]

Trinidad, Santísima el misterio de un Dios que existe en tres personas: el Padre, el Hijo y el Espíritu Santo. [Trinity]

***Vía Crucis* (Estaciones de la Cruz)** herramienta que nos ayuda a meditar en las últimas horas de la vida de Jesús, desde que fue condenado por Poncio Pilato hasta su muerte y sepultura. Consiste en hacer un recorrido por los catorce acontecimientos que ocurrieron durante ese tiempo, mediante representaciones gráficas que también muestran los lugares específicos de Jerusalén donde ocurrieron esos hechos. [Stations of the Cross]

viático La Eucaristía que recibe una persona que está gravemente enferma o muriendo. Es alimento espiritual para el último viaje que realizamos como cristianos, el viaje de la muerte a la vida eterna. [viaticum]

virtud actitud o modo de actuar que nos ayuda a hacer el bien. [virtue]

vocación el llamamiento que cada uno de nosotros recibe para ser la persona que Dios quiere que seamos. Nuestra vocación es también el modo en el que servimos a la Iglesia y al reino de Dios. Cada uno de nosotros puede vivir su vocación como parte del laicado, como miembro de una comunidad religiosa o como miembro del clero. [vocation]

sanctifying grace the gift of God, given to us without our earning it, that unites us with the life of the Trinity and heals our human nature, wounded by sin. Sanctifying grace continues the work of making us holy that began at our Baptism. [gracia santificante]

Scripture the holy writings of Jews and Christians collected in the Old and New Testaments of the Bible [Sagradas Escrituras]

sin a choice we make that offends God and hurts our relationships with others. Some sin is mortal and needs to be confessed in the Sacrament of Penance and Reconciliation. Other sin is venial, or less serious. [pecado]

social justice the fair and equal treatment of every member of society. Social justice is required by the dignity and freedom of every person, and it is rooted in the Bible as well as in the traditional teachings of the Church. [justicia social]

solidarity the principle that all people exist in equal dignity as children of God. Therefore, individuals are called to commit themselves to working for the common good in sharing material and spiritual goods. [solidaridad]

Spiritual Works of Mercy the kind acts through which we help our neighbors meet needs that are more than material. The Spiritual Works of Mercy include counseling the doubtful, instructing the ignorant, admonishing sinners, comforting the afflicted, forgiving offenses, bearing wrongs patiently, and praying for the living and the dead. [obras de misericordia espirituales]

Stations of the Cross a tool for meditating on the final hours of Jesus' life, from his condemnation by Pilate to his Death and burial. We do this by moving to representations of 14 incidents, each one based on the traditional sites in Jerusalem where these incidents took place. [Estaciones de la Cruz]

stewardship the careful and responsible management of something entrusted to one's care, especially the goods of creation, which are intended for the whole human race. The sixth Precept of the Church makes clear our part in this stewardship by requiring us to provide for the material needs of the Church, according to our abilities. [corresponsabilidad]

Tradition the beliefs and practices of the Church that are passed down from one generation to the next under the guidance of the Holy Spirit. What Christ entrusted to the apostles was handed on to others both orally and in writing. [Tradición]

Triduum the period of three days that begins with the Mass of the Lord's Supper on Holy Thursday evening and ends with the Easter Vigil Mass on Holy Saturday. [Triduo]

Trinity the mystery of one God existing in three Persons: the Father, the Son, and the Holy Spirit [Trinidad, Santísima]

viaticum the Eucharist that a seriously ill or dying person receives. It is spiritual food for the last journey we make as Christians, the journey through death to eternal life. [viático]

virtue attitude or way of acting that help us do good [virtud]

vocation the call each of us has in life to be the person God wants us to be. Our vocation is also the way we serve the Church and the Kingdom of God. Each of us can live out his or her vocation as a layperson, as a member of a religious community, or as a member of the clergy. [vocación]

worship the adoration and honor given to God in public prayer [culto]

Nombre _____ Fecha_____

1. Los cuatro pilares de la fe católica son
   a. los sacramentos, la Eucaristía, el Padrenuestro y la oración.
   b. el Bautismo, el Matrimonio, la Confirmación y el Orden.
   c. el Credo, los sacramentos, la vida moral y la oración.

2. En el Credo
   a. decimos lo que creemos.
   b. rezamos para pedir perdón.
   c. rezamos para dar gracias.

3. Los sacramentos son
   a. signos sagrados de nuestra fe.
   b. algo separado de Dios.
   c. gestos y objetos utilizados en la oración.

4. Para vivir una vida moral debemos
   a. ignorar las reglas.
   b. seguir los Diez Mandamientos.
   c. hacer lo que nuestros amigos hacen.

5. La oración consiste en
   a. hablar con Dios y escucharlo.
   b. solo hablar con Dios.
   c. rezar solo durante la misa.

6. Nuestra fe católica consiste en
   a. hacer amigos.
   b. escuchar a nuestro sacerdote.
   c. tener una relación con Dios.

7. Abrahán y Sara, Moisés, y la Virgen María
   a. no conocían a Dios.
   b. dijeron que sí al llamado de Dios.
   c. se apartaron de Dios.

8. La Revelación es la acción por la que
   a. Jesús que muere y resucita el Domingo de Pascua.
   b. Dios que se muestra ante nosotros para que podamos estar cerca de él.
   c. honramos a la Virgen María.

9. La humildad es
   a. reconocer que todos nuestros dones y talentos vienen de Dios.
   b. decirles a todos el bien que hicimos.
   c. una cualidad que solo los santos tienen.

10. La Iglesia cree en la Revelación de Dios mediante
    a. las Escrituras, pero no la Tradición.
    b. la Tradición, pero no las Escrituras.
    c. las Escrituras y la Tradición.

Name _____ Date_____

1. The four pillars of the Catholic faith are
   a. sacraments, Eucharist, the Lord's Father, and prayer.
   b. Baptism, Marriage, Confirmation, and Holy Orders.
   c. the Creed, sacraments, the moral life, and prayer.

2. In the Creed, we
   a. say what we believe.
   b. pray for forgiveness.
   c. pray to show thanks.

3. The sacraments are
   a. sacred signs of our faith.
   b. separate from God.
   c. gestures and objects used in prayer.

4. To live a moral life, we should
   a. bend the rules.
   b. follow the Ten Commandments.
   c. do what our friends do.

5. Prayer is
   a. both speaking and listening to God.
   b. only speaking to God.
   c. only done during Mass.

6. Our Catholic faith is about
   a. making friends.
   b. listening to our priest.
   c. having a relationship with God.

7. Abraham and Sarah, Moses, and Mary
   a. didn't know God.
   b. said yes to God's call.
   c. turned away from God.

8. Revelation is
   a. Jesus dying and rising on Easter Sunday.
   b. God showing himself to us so that we can be close to him.
   c. honoring Mary.

9. Humility is
   a. recognizing that all our gifts and talents come from God.
   b. telling everyone what a good job we did.
   c. a quality that only saints have.

10. The Church believes in God's Revelation in
    a. Scripture, but not Tradition.
    b. Tradition, but not Scripture.
    c. both Scripture and Tradition.

Nombre _____ Fecha_____

11. La Inmaculada Concepción es cuando María
   a. fue llevada al Cielo.
   b. fue concebida sin pecado original.
   c. recibió el anuncio del ángel Gabriel de que ella iba a ser la madre del Hijo de Dios.

12. La Trinidad es
   a. cualquier grupo de tres amigos.
   b. algo en lo que no debemos creer.
   c. Dios Padre, Hijo y Espíritu Santo.

13. Hemos sido creados a imagen de
   a. nuestros padres.
   b. Dios.
   c. la Virgen María y los santos.

14. A través de su Resurrección, Jesús
   a. se hizo católico.
   b. venció la muerte y el pecado.
   c. fue tentado a pecar.

15. La Salvación es
   a. un don.
   b. algo que uno desarrolla cuando es adulto.
   c. imposible.

16. La fe en Jesús
   a. solo es importante cuando estamos preocupados o asustados.
   b. se debe ganar.
   c. nos da esperanza en el futuro y la vida nueva.

17. La corresponsabilidad es
   a. compartir nuestro tiempo, talento y tesoro.
   b. compartir nuestros juguetes, libros y dinero.
   c. compartir nuestra comida, ropa y tiempo.

18. Podemos volvernos más espirituales
   a. al llevar un registro de nuestras buenas acciones.
   b. al escribir oraciones.
   c. al aprender a encontrar a Dios en todas las cosas.

19. Los atributos de la Iglesia son:
   a. una, santa, católica y apostólica.
   b. trinidad, santa, universal y apostólica.
   c. Padre, Hijo y Espíritu Santo.

20. La Comunión de los Santos se compone de
   a. solo las personas a quienes la Iglesia ha declarado santas.
   b. todos los difuntos.
   c. los santos y las personas de fe que en vida siguieron a Jesús.

Name _____ Date_____

11. The Immaculate Conception is Mary's
   a. being taken up to Heaven.
   b. being conceived free from Original Sin.
   c. being told by the angel Gabriel that she was to be the mother of the Son of God.

12. The Trinity is
   a. any group of three friends.
   b. not something we must believe in.
   c. God the Father, Son, and Holy Spirit.

13. We are made in the image of
   a. our parents.
   b. God.
   c. Mary and the saints.

14. Through his Resurrection, Jesus
   a. became Catholic.
   b. overcame death and sin.
   c. was tempted to sin.

15. Salvation is
   a. a gift.
   b. something you develop as an adult.
   c. not possible on earth.

16. Faith in Jesus
   a. is important only when we are worried or scared.
   b. must be earned.
   c. gives us hope for the future and for a new life.

17. Stewardship is
   a. sharing our time, talent, and treasure.
   b. sharing our toys, books, and money.
   c. sharing our food, clothes, and time.

18. We can become more spiritual by
   a. keeping track of our good works.
   b. writing down prayers.
   c. learning to find God in all things.

19. The Marks of the Church are that it is
   a. one, holy, catholic, and apostolic.
   b. trinity, holy, universal, and apostolic.
   c. Father, Son, and Holy Spirit.

20. The Communion of Saints is made up of
   a. only people whom the Church has named as saints.
   b. anyone who has died.
   c. saints and people who faithfully followed Jesus in their lives.

Nombre _____ Fecha_____

1. La liturgia es
   a. dar culto con los demás en nuestra parroquia.
   b. un acto de servicio.
   c. donar dinero a la Iglesia.

2. Los sacramentos de la Iniciación son
   a. la Penitencia, el Matrimonio y la Eucaristía.
   b. el Bautismo, la Confirmación y la Eucaristía.
   c. el Orden y la Unción de los Enfermos.

3. El Misterio Pascual es
   a. la Resurrección.
   b. la Crucifixión.
   c. la Pasión, muerte y Resurrección de Cristo.

4. Los sacramentos de la Curación son
   a. la Penitencia y la Reconciliación, y la Unción de los Enfermos.
   b. el Orden y el Matrimonio.
   c. el Bautismo y el Matrimonio.

5. Los sacramentales son
   a. objetos tales como estampas y rosarios que nos ayudan a centrar nuestra atención en Dios.
   b. las cosas que adoramos.
   c. irrelevantes a la hora de rezar.

6. El calendario litúrgico
   a. es un programa de sacramentos.
   b. es una lista de los días en que honramos a la Virgen María.
   c. resalta los tiempos y fiestas en el año de la Iglesia.

7. En la Eucaristía
   a. somos sellados con el Espíritu Santo.
   b. recibimos el Cuerpo y la Sangre de Jesucristo.
   c. entramos en una nueva vida en la Iglesia de Jesús.

8. En la Confirmación
   a. nos convertimos en miembros de la Iglesia.
   b. somos sellados con el Espíritu Santo.
   c. recibimos la Sagrada Comunión por primera vez.

9. El Bautismo
   a. nos libera del pecado original.
   b. se puede recibir más de una vez.
   c. es solo para los adultos.

10. Dos dones del Espíritu Santo son
    a. la paz y el entendimiento.
    b. el amor y la esperanza.
    c. la sabiduría y la ciencia.

Name _____ Date_____

1. Liturgy is
   a. worshiping with others in our parish.
   b. an act of service.
   c. donating money to the church.

2. The Sacraments of Initiation are
   a. Penance, Matrimony, and the Eucharist.
   b. Baptism, Confirmation, and the Eucharist.
   c. Holy Orders and the Anointing of the Sick.

3. The Paschal Mystery is
   a. the Resurrection.
   b. the Crucifixion.
   c. the suffering, Death, and Resurrection of Christ.

4. The Sacraments of Healing are
   a. Penance and Reconciliation and the Anointing of the Sick.
   b. Holy Orders and Matrimony.
   c. Baptism and Matrimony.

5. Sacramentals are
   a. objects like holy cards and rosaries that help us draw our attention to God.
   b. things we worship.
   c. not useful for prayer.

6. The liturgical calendar
   a. is a sacrament schedule.
   b. is a list of days we honor Mary.
   c. highlights the seasons and feasts in the Church year.

7. In the Eucharist,
   a. we are sealed with the Holy Spirit.
   b. we receive the Body and Blood of Jesus Christ.
   c. we entered into a new life in the Church.

8. At Confirmation we
   a. become members of the Church.
   b. are sealed with the Holy Spirit.
   c. receive Holy Communion for the first time.

9. Baptism
   a. frees us from Original Sin.
   b. can be received more than once.
   c. is only for adults.

10. Two Gifts of the Holy Spirit are
    a. peace and understanding.
    b. love and hope.
    c. wisdom and knowledge.

Nombre _____ Fecha_____

11. Un examen de conciencia es

   a. la manera en que el sacerdote perdona nuestros pecados.

   b. el acto de mirar en nuestros corazones en actitud orante para preguntarnos cómo hemos perjudicado nuestra relación con Dios o con los demás.

   c. una celebración sacramental.

12. La caridad, la benignidad y la continencia son

   a. frutos del Espíritu Santo.

   b. dones del Espíritu Santo.

   c. cualidades de todos los católicos.

13. El sacramento de la Penitencia y la Reconciliación

   a. es algo que recibimos solo una vez.

   b. no es necesario.

   c. repara nuestra relación con Dios.

14. El sacramento de la Penitencia y la Reconciliación incluye

   a. la confesión, la adoración, la reconciliación y la oración.

   b. la contrición, la confesión, la absolución y la satisfacción.

   c. la contrición, la curación, la Comunión y la penitencia.

15. El sacramento de la Unción de los Enfermos se puede dar

   a. a gente que se prepara para una operación quirúrgica o está gravemente enferma.

   b. cuando alguien tiene un resfriado.

   c. solo a personas muy ancianas.

16. El obispo es el líder de

   a. una escuela.

   b. una diócesis.

   c. una nación.

17. En el sacramento del Matrimonio

   a. la pareja forma una alianza el uno con el otro y con Dios.

   b. el sacerdote casa a la pareja.

   c. los pecados son perdonados.

18. La Iglesia nos anima a recibir la Eucaristía

   a. una vez a la semana.

   b. tantas veces como sea posible.

   c. una vez al año.

19. ¿Qué símbolo litúrgico se usa en la Confirmación?

   a. el agua

   b. una vela

   c. el santo Crisma

20. Los hombres que ayudan a perpetuar la presencia de Jesús en la tierra en la Tradición de los apóstoles reciben el sacramento de

   a. la Eucaristía.

   b. el Orden.

   c. el Matrimonio.

Name _____ Date_____

11. An examination of conscience is
　a. how the priest forgives our sins.
　b. the act of looking prayerfully into our hearts to ask how we have hurt our relationship with God or with others.
　c. a sacramental celebration.

12. Charity, gentleness, and self-control are
　a. Fruits of the Holy Spirit.
　b. Gifts of the Holy Spirit.
　c. qualities of all Catholics.

13. The Sacrament of Penance and Reconciliation
　a. is something we receive only once.
　b. is not necessary.
　c. restores our relationship with God.

14. The Sacrament of Penance and Reconciliation includes
　a. confession, adoration, reconciliation, and prayer.
　b. contrition, confession, absolution, and satisfaction.
　c. contrition, healing, Communion, and penance.

15. The Sacrament of the Anointing of the Sick can be given
　a. to people preparing for surgery and people who are seriously ill.
　b. when someone has a cold.
　c. only to those who are very old.

16. The bishop is the head of
　a. a school.
　b. a diocese.
　c. a nation.

17. In the Sacrament of Matrimony,
　a. the couple forms a covenant with each other and with God.
　b. the priest marries the couple.
　c. sins are forgiven.

18. The Church encourages us to receive the Eucharist
　a. once a week.
　b. as often as possible.
　c. once a year.

19. Which liturgical symbol is used at Confirmation?
　a. water
　b. candle
　c. sacred Chrism

20. Men who help continue Jesus' presence on earth in the tradition of the apostles receive the Sacrament of
　a. the Eucharist.
　b. Holy Orders.
　c. Matrimony.

Nombre _____ Fecha_____

1. La moral cristiana consiste en
   a. hacer todo lo que queremos.
   b. tratar a los demás con respeto y dignidad.
   c. no preocuparse por los sentimientos de otras personas.

2. La frase "Les aseguro que lo que hayan hecho a uno solo de éstos, mis hermanos menores, me lo hicieron a mí" (Mateo 25:40) significa que
   a. cuando servimos a los demás, servimos a Jesús.
   b. debemos atender a las personas de nuestra familia.
   c. no debemos preocuparnos por los pobres.

3. La moral católica nos ayuda a
   a. concentrarnos en nuestras necesidades.
   b. aprender acerca de la Biblia.
   c. acercarnos más a Dios.

4. La gracia es
   a. algo que tenemos que ganarnos.
   b. un don de Dios.
   c. un don de los santos.

5. Cuando pecamos,
   a. decidimos hacer algo que sabemos que Dios no quiere que hagamos.
   b. hacemos accidentalmente algo malo.
   c. nos dañamos solo a nosotros mismos.

6. Los Diez Mandamientos
   a. nos dicen cómo mantener una relación con Dios y con otros.
   b. son leyes que seguimos cuando queremos.
   c. son normas que Jesús nos dio.

7. ¿Cuál es el Mandamiento Mayor?
   a. Amarás a Dios y a tu prójimo como a ti mismo.
   b. Ama a tu familia y luego ama a tus amigos.
   c. Ámate a ti mismo.

8. Los tres primeros mandamientos nos enseñan acerca de
   a. la Iglesia.
   b. el amor al prójimo.
   c. el amor de Dios.

9. Los últimos siete mandamientos nos enseñan acerca del
   a. amor de Dios.
   b. amor al prójimo.
   c. Evangelio.

10. Jesús nos dio maneras de cómo quiere Dios que vivamos amando a nuestro prójimo. Estas maneras se llaman
    a. Bienaventuranzas.
    b. oraciones.
    c. reglas para la vida.

Name _____ Date_____

1. Christian morality is
   a. doing whatever we want to do.
   b. treating others with respect and dignity.
   c. not worrying about other people's feelings.

2. "Whatever you did for one of these least brothers of mine, you did for me" (Matthew 25:40) means
   a. when we serve others, we serve Jesus.
   b. take care of the people in your family.
   c. don't worry about those who are poor.

3. Catholic morality helps us
   a. focus on our needs.
   b. learn about the Bible.
   c. grow closer to God.

4. Grace is
   a. something we have to earn.
   b. a gift from God.
   c. a gift from the saints.

5. When we sin, we
   a. choose to do something we know God wouldn't want us to do.
   b. accidentally do something wrong.
   c. only hurt ourselves.

6. The Ten Commandments
   a. tell us how to maintain a relationship with God and others.
   b. are laws that we follow when we want to.
   c. are rules that Jesus gave us.

7. What is the Great Commandment?
   a. Love God and love your neighbor as yourself.
   b. Love your family and then love your friends.
   c. Love yourself.

8. The first three commandments teach us about
   a. the Church.
   b. the love of neighbor.
   c. the love of God.

9. The last seven commandments teach us about
   a. the love of God.
   b. the love of neighbor.
   c. the Gospels.

10. Jesus gave us ways for how God wants us to live by loving our neighbors. These ways are called
   a. the Beatitudes.
   b. prayers.
   c. rules for living.

Nombre _____ Fecha_____

11. ¿Qué virtud nos da la confianza de que Dios estará siempre con nosotros?

   a. la justicia

   b. la fortaleza

   c. la esperanza

12. La misericordia es

   a. creer que somos mejores que otros.

   b. mostrar compasión y perdón.

   c. no compartir con los demás.

13. Las obras de misericordia espirituales

   a. satisfacen las necesidades espirituales y emocionales de las personas.

   b. ayudan a los hambrientos y los desamparados.

   c. son practicadas solo por los sacerdotes.

14. ¿Cuál es el Octavo Mandamiento?

   a. No darás falso testimonio.

   b. No codiciarás los bienes ajenos.

   c. No tomarás el nombre del Señor, tu Dios, en vano.

15. ¿Cuál es el Cuarto Mandamiento?

   a. No robarás.

   b. Honrarás a tu padre y a tu madre.

   c. Santificarás las fiestas.

16. La vida y la dignidad del ser humano, y cuidar de la creación de Dios son dos

   a. principios de la enseñanza social católica.

   b. Bienaventuranzas.

   c. virtudes cardinales.

17. ¿Cuáles son algunas formas de poder formar una buena conciencia?

   a. Haz lo que tus amigos quieren que hagas.

   b. Rézale al Espíritu Santo, aprende de tus errores y lee y escucha las Sagradas Escrituras.

   c. Espera a que seas adulto para formar tu conciencia.

18. A la caridad también se le llama

   a. fe.

   b. amor.

   c. templanza.

19. A las virtudes de la fe, la esperanza y la caridad se les llama

   a. virtudes cardinales.

   b. virtudes teologales.

   c. Bienaventuranzas.

20. Tu conciencia

   a. no es útil a la hora de tomar buenas decisiones.

   b. es algo que uno desarrolla cuando es adulto.

   c. es lo que te guía para hacer el bien.

Name _____ Date_____

11. Which virtue gives us confidence that God will always be with us?

   a. justice

   b. fortitude

   c. hope

12. Mercy is

   a. believing that we are better than others.

   b. showing compassion and forgiveness.

   c. not sharing with others.

13. The Spiritual Works of Mercy

   a. provide for the spiritual and emotional needs of people.

   b. help those who are hungry and homeless.

   c. are practiced only by priests.

14. What is the Eighth Commandment?

   a. You shall not bear false witness against your neighbor.

   b. You shall not covet your neighbor's goods.

   c. You shall not take the name of the Lord your God in vain.

15. What is the Fourth Commandment?

   a. You shall not steal.

   b. Honor your father and your mother.

   c. Keep holy the Sabbath day.

16. Life and Dignity of the Human Person and Care for God's Creation are two

   a. Catholic Social Teaching principles.

   b. Beatitudes.

   c. Cardinal Virtues.

17. Which are some ways that help form a good conscience?

   a. Do what your friends want you to do.

   b. Pray to the Holy Spirit, learn from your mistakes, and read and listen to Scripture.

   c. Wait until you are an adult to form your conscience.

18. Charity is also called

   a. faith.

   b. love.

   c. temperance.

19. The virtues of faith, hope, and charity are called the

   a. Cardinal Virtues.

   b. Theological Virtues.

   c. Beatitudes.

20. Your conscience is

   a. not helpful for making good choices.

   b. something you develop as an adult.

   c. what guides you to do the right thing.

Nombre _____ Fecha_____

1. La oración es
   a. una respuesta a Dios.
   b. tratar de llamar la atención de Dios.
   c. algo que hacemos cuando estamos en problemas.

2. La adoración, la petición, la intercesión, la acción de gracias y la alabanza son:
   a. formas de rezar.
   b. cosas que se hacen durante el sacramento de la Penitencia y la Reconciliación.
   c. un examen de la oración.

3. En las oraciones de intercesión
   a. rezamos por las necesidades de los demás.
   b. le pedimos a Dios que atienda nuestras propias necesidades.
   c. alabamos a Dios.

4. La oración describe
   a. lo que nos sucede en la misa.
   b. todas las formas en que reconocemos la presencia de Dios.
   c. solo el Rosario.

5. Durante el Rosario meditamos sobre
   a. las estaciones gozosas, luminosas, dolorosas y gloriosas.
   b. las oraciones gozosas, luminosas, dolorosas y gloriosas.
   c. los misterios gozosos, luminosos, dolorosos y gloriosos.

6. Las siguientes son oraciones tradicionales:
   a. el Credo de los Apóstoles, el Avemaría y el Padrenuestro.
   b. la oración espontánea y la meditación.
   c. la contemplación y la reflexión.

7. La oración espontánea es
   a. leer un pasaje de las Sagradas Escrituras.
   b. repetir una palabra o frase sagrada.
   c. rezar usando tus propias palabras.

8. Los pasos de la oración espontánea son:
   a. da gracias, identifica tus necesidades, perdona y pide perdón, y ten en cuenta en los demás.
   b. ve a la Iglesia, identifícate con tu nombre, perdona a los demás y ten en cuenta las consecuencias antes de obrar.
   c. da gracias, identifica tus necesidades, perdona y teme a Dios.

9. La meditación consiste en
   a. usar pasajes de las Escrituras, lecturas espirituales o imágenes sagradas para pensar en Dios.
   b. decir en voz alta las oraciones tradicionales.
   c. utilizar nuestras propias palabras para rezar.

10. En el catolicismo la práctica de la devoción a la Virgen María mediante la meditación en la vida de Jesús y la Virgen María se llama
    a. el Rosario.
    b. el *Vía Crucis*.
    c. la *lectio divina*.

Name _____ Date_____

1. Prayer is
   a. a response to God.
   b. trying to get God's attention.
   c. something we do only when we are in trouble.

2. Adoration, petition, intercession, thanksgiving, and praise are known as
   a. forms of prayer.
   b. things you do during the Sacrament of Penance and Reconciliation.
   c. examination of prayer.

3. In prayers of intercession, we are
   a. praying for the needs of others.
   b. asking God to take care of our own needs.
   c. praising God.

4. Prayer describes
   a. what happens to us at Mass.
   b. all the ways we recognize God's presence.
   c. only the Rosary.

5. During the Rosary, we reflect on the Joyful, Luminous, Sorrowful, and Glorious
   a. Stations.
   b. Prayers.
   c. Mysteries.

6. The following are traditional prayers:
   a. the Apostles' Creed, the Hail Mary, and the Lord's Prayer.
   b. spontaneous prayer and meditation.
   c. contemplation and reflection.

7. Spontaneous prayer is
   a. reading a Scripture passage.
   b. repeating a sacred word or phrase.
   c. praying using our own words.

8. The steps of spontaneous prayer are
   a. give thanks, identify your needs, forgive and be forgiven, and think of others.
   b. go to Church, identify your name, forgive others, think before you act.
   c. give thanks, identify your needs, forgive, and talk to God.

9. Meditation is
   a. using Scripture passages, inspirational readings, or sacred images to think about God.
   b. saying traditional prayers aloud.
   c. using our own words to pray.

10. The Catholic practice of devotion to Mary that reflects on the life of Jesus and Mary is called
    a. the Rosary.
    b. the Stations of the Cross.
    c. *lectio divina.*

Nombre _____ Fecha_____

11. Usamos nuestros sentidos e imaginación para reflexionar sobre la Pasión, muerte y Resurrección de Jesús en

   a. el examen diario.

   b. el Avemaría.

   c. el *Vía Crucis*.

12. 12. El examen diario fue creado por

   a. Jesús.

   b. san Pablo.

   c. san Ignacio de Loyola.

13. A la oración reflexiva también se le llama

   a. contemplación.

   b. oración vocal.

   c. meditación.

14. En la oración centrante

   a. en el silencio abrimos el corazón y la mente a la presencia de Dios.

   b. usamos las oraciones tradicionales.

   c. usamos las cuentas del Rosario.

15. El *Vía Crucis*

   a. tiene 12 estaciones.

   b. también se conoce como la *lectio divina*.

   c. a veces incluye una estación número 15 que medita en la Resurrección de Jesús.

16. El Padrenuestro también se llama

   a. Oración del Señor.

   b. Acto de Contrición.

   c. Credo de los Apóstoles.

17. ¿Por qué rezamos?

   a. para obtener crédito por haber hecho algo bueno

   b. porque amamos a Dios y queremos estar cerca de él

   c. porque la Iglesia nos dice que recemos

18. Cuando los discípulos de Jesús le preguntaron si podía enseñarlos a rezar, él les enseñó

   a. a utilizar sus propias palabras.

   b. el Padrenuestro.

   c. el Credo de los Apóstoles.

19. Cuando rezamos el Padrenuestro, le pedimos a Dios que nos perdone

   a. como también nosotros perdonamos a los que nos ofenden.

   b. como él perdonó a los discípulos.

   c. como él perdona los pecados de nuestros padres.

20. Cuando decimos "Danos hoy nuestro pan de cada día", estamos pidiendo

   a. que Dios nos perdone.

   b. que Dios nos libre del mal.

   c. que Dios provea las necesidades básicas de todas las personas.

Name _____ Date_____

11. We use our senses and imagination to reflect on Jesus' Passion, Death, and Resurrection in
   a. the Daily Examen.
   b. the Hail Mary.
   c. the Stations of the Cross.

12. The Daily Examen was developed by
   a. Jesus.
   b. Saint Paul.
   c. Saint Ignatius of Loyola.

13. Reflective prayer is also known as
   a. contemplation.
   b. vocal prayer.
   c. meditation.

14. In centering prayer, we
   a. open our hearts and minds to God's presence in silence.
   b. use traditional prayers.
   c. use rosary beads.

15. The Stations of the Cross
   a. has 12 stations.
   b. is also called *lectio divina*.
   c. sometimes includes a 15th station that reflects on Jesus' Resurrection.

16. The Lord's Prayer is also called the
   a. Our Father.
   b. Act of Contrition.
   c. Apostles' Creed.

17. Why do we pray?
   a. to get credit for doing something good
   b. because we love God and want to be close to him
   c. because the Church tells us to pray

18. When Jesus' disciples asked him if he could teach them to pray, he taught them
   a. to use their own words.
   b. the Our Father.
   c. the Apostles' Creed.

19. When we pray the Lord's Prayer, we ask God to forgive us
   a. as we forgive those who have sinned against us.
   b. as he forgave the disciples.
   c. as he forgives the sins of our fathers.

20. When we say "Give us this day our daily bread," we are asking
   a. God to forgive us.
   b. God to help us avoid evil.
   c. God to provide for the basic needs of all people.

Índice temático

Index

humility, 19, 152
Ignatius of Loyola (Saint), 137, 142
Immaculate Conception, 44
imposition of hands, 83
Initiation, Sacraments of, 51, 63–72
instruction, in Catholic faith, 109
intercession, prayer for, 125
Introductory Rites, in Mass, 68

Jesuits. *See* Ignatius of Loyola; Society of Jesus
Jesus Christ
　authority of, 22, 23
　choices made by, 118
　disciples of, 10
　God's authority through, 22
　God's call to, 18
John, Gospel of, 69
Joyful Mysteries, 136
judges, 24
justice, 112, 152
　and mercy, 112
　social, 110–11

knowledge, as Gift of the Holy Spirit, 66

laity, 152
Lauds, 50
Law of Love, 98
　Ten Commandments as, 99–102
laws, freedom through, 100
laying on of hands, 65
lectio divina, 133, 138
Lectionary for Mass, 68
Lent, 54
lift up your hearts, meaning of, 126
Light, Mysteries of, 136
liturgical calendar, 53, 152
liturgy, 50, 152
　of Anointing of the Sick, 78
　of the Hours, 50
　of marriage, 86
　of ordination, 83
　of Reconciliation, 75
　of the Word, 68, 78
　worship and, 49–56

Lord's Prayer, 18, 132, 141–46, 149
　meaning of, 144–45
　Rosary and, 134, 135
Luke, Gospel of, Lord's Prayer in, 18
Luminous Mysteries, 136
lust, 94
lying, Eighth Commandment on, 102

Magisterium, 23, 25, 153
Marks of the Church, 42, 153
marriage. *See* Matrimony
Mary (Mother of God), 44
Mary Magdalene, 153
Mass, 67, 68–69
　liturgy for, 50
Matrimony, 153
　liturgy of, 86
　Sacrament of, 51, 85
Matthew, Gospel of, 18, 118
meditation, 133,153
　Daily Examen as, 137
　reflective prayer as, 138
Memore, 153
mercy, 95, 153
　Corporal Works of, 107, 108
　God's will as, 143
　and justice, 112
　Spiritual Works of, 107, 109–10
miracles, prayer and, 127
Missal, 153
miter, 84
models of faith, 44–45
moral choice, 92, 153
morality, vi
　acting with, 92
　Catholic, 93
　commandments, beatitudes, virtues, and, 97–106
　conscience and, 115–20
　decision making and, 115–20, 117
　dignity, sin, and mercy, 91–96
　as pillar of faith, 12
　works of mercy and social justice, 107–14
mortal sin, 93
Moses, prayer and, 143
murder, Fifth Commandment on, 101

mystery(ies)
　of Rosary, 136
　sacramentality and, 57–62
　Trinity as, 29

New Testament, 24
Nicene Creed, 11, 35, 148, 153. *See also* Creed
Ninth Commandment, 102
Noah, 153

oil
　anointing with, 83
　of catechumens, 64
　of Chrism, 64, 65
Old Testament, 24
omission, sin of, 94
one (unity of Church), 42
oral tradition, of Bible, 24
Ordinary Time, 54, 153
ordination, liturgy of, 83
Original Sin, 34
　Baptism and, 64
Our Father. *See* Lord's Prayer

parents, honoring, 101
Paschal Mystery, 50, 58, 153
Passover. *See* Paschal Mystery
pastor, as leader of parish, 84
Paul (Saint), on prayer, 124
pectoral cross, 84
penance, 75, 153
　as Sacrament of Healing, 51
Penance and Reconciliation, Sacrament of, 51, 73, 74, 76
Penitential Act, in Mass, 68
penitential rite, 78
Pentateuch, 24
Pentecost, 42, 55, 153
Peter (Saint), 83
petition, prayer, 125, 154
piety, as Gift of the Holy Spirit, 66
pillars of the Catholic faith, 11–13. *See also* Creed; morality; prayer; sacrament
pope
　episcopal college and, 83
　as leader of Church, 84
　Tradition and, 22, 23
poverty, 108, 111

Índice bíblico

Society of Jesus (Jesuits), 142
solidarity, 30, 31, 155
    sharing as, 111
Son, in Trinity, 28, 29
Sorrowful Mysteries, 136
Spiritual Works of Mercy,
    109–10, 155
spontaneous prayer, 133
Stations of the Cross, 36, 133,
    137
    Good Friday and, 54
    prayer for, 137
stealing, Seventh
    Commandment on, 101
stewardship, 41, 155
St. Vincent de Paul, Society of,
    108
suffering, God and, 128
symbols, Catholic, 60–61

Ten Commandments, 12, 98,
    99–102
Tertullian (writer), on
    Christians, 10
thanksgiving, prayer as, 125
Theological Virtues, 104
Third Commandment, 101

traditional prayers, 132
Tradition/tradition, 155
    Bible and, 24
    decision making and, 25
    meaning of, 22
    Scripture and, 21–26
Triduum, 54, 155
Trinity, 27–32, 42, 58, 155
    in Creed, 28
    Holy Spirit in, 65
    as mystery, 29
    unity of, 11

understanding, as Gift of the
    Holy Spirit, 66
unity
    solidarity as, 30
    of Trinity, 11

venial sin, 93
Vespers, 50
viaticum, 78, 155
Vigil Mass, at Easter, 54, 70
virtues, 104, 155
    Cardinal, 104, 105
    Theological, 104

Visitation, 44
vocal prayer, 132
vocation, 82, 155

wisdom, as Gift of the Holy
    Spirit, 66
Wisdom books, 24
Word, Liturgy of, 68
Word of God, Scripture as, 21
words of consecration, 83
work and workers, dignity and
    rights of, 111
Works of Mercy, 107–10
    Corporal, 108–09
    Spiritual, 109–10
worship, 50, 155
    Catholic morality and, 93
    of God, 44
    liturgy and, 49–56

Scripture Index

OLD TESTAMENT
Daniel
    6:26–29, p. 62
Deuteronomy
    30:11–14, p. 98
Exodus
    3:1–2, 4, p. 20
    12:17, p. 72
    19:7–8, p. 99
    32:1–14, p. 143
Genesis
    1:27, p. 92
    18:16–33, p. 143
Psalms
    100:1–2, p. 56
    121:1–4, p. 130

NEW TESTAMENT
Acts of the Apostles
    2:1–13, p. 42
    2:42, p. 10
John
    3:30, p. 19
    6:48–51, p. 69
    13:5–17, p. 19
    15:12–13, p. 85
Luke
    1:46, p. 19
    5:30–32, p. 80
    10:30–37, p. 114
    17:20–21, p. 106
    22:42, p. 18

Mark
    7:20–23, p. 96
    10:17, p. 99
    12:29–31, p. 100
Matthew
    4:1–11, p. 118
    6:9–13, p. 143
    7:7–8, p. 146
    9:15, p. 127
    16:18–19, pp. 22, 42
    20:25–28, p. 88
    25:31–46, p. 92
    25:40, **p. 92**, p. 161
    28:18, p. 22
    28:19, p. 10
    28:19–20, p. 14

Revelation
    21:1–4, p. 46
Romans
    8:38–39, p. 38
1 Thessalonians
    5:16–18, p. 140
    5:17, p. 124
1 Timothy
    1:5–7, **18–19**, p. 120
2 Timothy
    3:14–17, p. 26